養老孟司

Monica Chen 譯

バカの壁

溝通障礙、世代隔閡、族群對立、大國鬥爭……
現象級腦科學家解答世上最棘手的難題

傻瓜的圍牆

目錄

前言　人生不會只有一種答案……009

第一章　「傻瓜的圍牆」是什麼？……015

說「我知道」的人，為什麼通常不是真的知道？
因為那一道人類與生俱來的圍牆，使大腦與外界失去交集。

「聽了就會懂」是天大謊言　「我知道」才最可怕　知識跟常識不一樣
現實是什麼？　有「公正客觀」的媒體嗎？　科學的詭異之處
科學需要反證　「真確」到底是什麼？

第二章　大腦係數：影響認知的祕密……033

同樣一件事，為什麼讓一些人視而不見，卻讓另一些人反應過度？
在人類大腦中，「現實」的意義到底是什麼？

大腦的輸入與輸出　大腦的一次方程式　腳邊的小蟲與硬幣
係數無限大的宗教狂熱份子　情感的係數　無法適應社會的人

第三章　個人特質只是謊言……045

時下每個人都羨慕「有個性」的人，年輕世代尤其如此，
但人類自古來卻因為「共同性」而進步……這其中大有矛盾！

「共同理解」與「強制理解」　富有「個人特質」的精神病患
你是「說明書型人」嗎？　發揮個人特質的結果　每個人與生俱來的特質

第四章　萬物流轉，但資訊不變……057

在資訊爆炸的現代，許多人認為世界上的資訊瞬息萬變，
而自己旁觀一切，是一個連續而不變的個體。真的是這樣嗎？

我是我嗎？　當「自我」變成一種資訊　資訊不會變，變的是人
「君子豹變」是貶義詞嗎？　「知道」與「死亡」　脫胎換骨的智者
政見為什麼跳票？　嘲笑背信的肯亞之歌　共同意識也有時差
比「個人特質」更重要的東西　意識與語言　大腦的「蘋果活動」
大腦中的the與a　不受重視的定冠詞　當人想到神　人為什麼要思考？
偶像的誕生　如果這世上有「超人」……　現代人的進化

第五章　被遺忘的無意識、身體與共同體……095

走路有意義嗎？睡覺有意義嗎？
現代人理所當然忘記的許多事，其實可能造成社會問題乃至國際問題。

忘記「身體」的現代人　邪教徒的神祕體驗　軍隊與身體　如何與身體互動
用「身體」來學習　文武必須雙全　轉換環境，或者轉換心態
大腦中的身體　不再移動的動物　社會共同體的崩壞　功能主義與共同體
亡國共同體　理想的人類共同體　人生有意義嗎？　痛苦帶來的意義
被遺忘的無意識　發覺無意識的人　熟睡的學生　三分之一的你：無意識
左右腦大不同　顛倒錯置的現代社會

第六章　傻瓜的大腦……135

記憶力天才可能是社交白癡，殺人犯也可能是商業天才……
既然每一顆大腦都差不多，那為何會有這些差異呢？聽聽科學怎麼說。

傻瓜腦與天才腦　記憶的天才　大腦的模型　神經網路
意外遲鈍的腦神經　大腦如何瞬間判斷聲音方向　心算的原理
鈴木一朗的祕密　畢卡索看到什麼？　操縱大腦　理智斷線的腦
連續殺人犯與一時衝動的殺人犯　我們應該研究罪犯的大腦嗎？　阿宅的大腦

第七章　教育的詭異之處……167
高等教育讓學生的腦袋裝滿知識，但有知識就不會做錯事嗎？
關於教育的意義，東大教授怎麼看？

虛假的自然教育　草包老師　「退學」真正的意義　學學我吧！　東大的傻瓜
對眼前的屍體視而不見　動一動身體　特別難教的孩子　調查嬰兒的大腦

第八章　超越一元論……187
世界上有三分之二人是一元論者，追求某一種絕對的真理。
在這種潮流中，我們如何維持思考平衡，發現有益於人類的「普世價值」？

效率化的終點　種姓制度與工作共享　充滿活力的大嬸　欲望不是正義
現代武器：人類欲望的實現　欲望經濟　脫離現實的「實經濟」　捨棄虛經濟
隨時會破滅的一元論世界　腳踏實地的強大　天主教與新教
任重道遠的人生　身而為人的「常識」

前言
人生不會只有一種答案

本書是經我口述，再由新潮社的編輯們編輯而成。將訪談或演講內容轉為文字時而有之，但像這次獨自說話再經他人之手轉為文章的經驗，我也是人生頭一遭。口述過程有點像是被警方盤訊，但字字都是我所言無誤。我不禁心想，原來自己口中的話被編輯轉為文字是這種感覺啊。理應是自己的文章，卻又像他人之物。一種奇妙感油然而生。這本書對我來說就像是實驗。

本書在二十年前首次出版時似乎得到「極端思想」的評價，書名「傻瓜的圍牆」則衍生自我首本著作《閱讀形體》（形を読む）。我們除了自己腦中既有的事物之外，終歸是什麼都無法理解。也就是說，最終擋住學問的那一堵牆就是我們的腦袋。本書便是秉持這樣的精神而寫成。

我年輕時當過數學家教。數學這種學問就不是單純的「理解」或「不理解」，並不是「懂的人就懂、不懂的人就不懂」，因為就算自認理解，繼續深入到一定程度之後，也會開始變得不理解。當然窮極一生就能搞懂也說不定，但人生畢竟時間有限。因此人們會選擇在某一個階段放棄理解，而永不放棄的人大概會變成數學家。這樣比喻的話，讀者應該可以大致理解「傻瓜的圍牆」是什麼。

人到了一定年紀，會認為有不懂的事情是人之常情。但在充滿無限可能的年輕時期，我們往往不知道自己到底懂不懂，於是困惑叢生。如果這時可以想起人人皆有的「傻瓜的圍牆」，你會豁然開朗，或許原本不懂的就懂了。而你的理解方式，或許跟世人公認的正解不完全相同，但問題本來就不該只有一種答案。一個能認同不同答案的社會，我認為才適合居住。不過，也有不少人抱持相反觀點，認為意見一致才稱得上典範社會。

年輕人或許就是如此。如果考試沒有正確答案，他們會勃然而怒。但人生路上的許多問題並沒有正確答案，頂多會有解決當下問題的各種辦法。至少我是這樣認為的。但現在的校園，卻把一個問題對上一個答案塑造成理所當然。事實真的是如此嗎？這是我希望讀者可以好好思考的。

本書羅列了許多答案，而且跟世人公認的正確解答不太一樣。我實踐本書的思考方式，也一路來到了六十好幾。假如你在閱讀時有「原來也有這種答案啊！」的想法，那會是身為筆者的我的何等幸運。當然，我也非常期待讀者擁有與我不同的答案。

バカの壁

傻瓜的圍牆

第一章

「傻瓜的圍牆」是什麼？

說「我知道」的人，為什麼通常不是真的知道？
因為那一道人類與生俱來的圍牆，
使大腦與外界失去交集。

「聽了就會懂」是天大謊言

我在大學任教時，曾經深刻感受何謂「聽了也不懂」。當時我在北里大學藥學系的課堂上播放一部由ＢＢＣ製作的紀錄片，內容詳細記錄了一對夫婦從懷孕到分娩的過程。

藥學系學生的女生人數較多，占比超過六成。我要求同學們分享心得，並發現男學生與女學生竟然出現完全不同的反應，結果十分有趣。

女學生大多表示「學到很多，有許多新發現」；男學生卻不約而同地說「以前健康教育課就教過這些東西了」。明明看的是相同的影片，兩方卻產生了幾乎完全相反的結論。

這到底是怎麼一回事？照理來說，同一間大學同一科系的學生之間，學術知識程度應該沒有男女差異。既然如此，這種落差又是如何產生的？

答案就是雙方對於接收資訊的態度問題。簡單來說，男學生沒有意願真正體會「分娩」。所以就算觀看相同的影片，男學生也不會像女學生一樣有許多新發現，換句話說，他們對於「想有所發現」這件事根本就不積極。

也就是說，當事人本身主動屏障了自己不願理解的資訊。一道高牆就在這時立起，是「傻瓜的圍牆」的一種形式。

上述案例充分展現人類任性自私的一面。同樣的影片內容，讓男生認為自己「全部都懂」，而讓女生深入觀賞並帶來「許多新發現」。很顯然，男生只是斷然無視於細節，而一味認定「這種東西我早就知道了」。

我們平時總是會輕易說出「我懂、我知道」，但事實上，我們對事物了解的程度不過如此。上述男女學生觀看相同影片的心得差異，可說是最貼切的例子。

「我知道」才最可怕

所謂「常識」（common sense），指的並不是「理解某事物」或具備某知識，而是指「理所當然」的事。許多人誤解了「常識」與「理所當然之事」的定義，而以為自己「知道」，這正是思考的漏洞所在。在前文的案例中，就表現在男女學生的明顯差異上。

女學生因為認為自己有朝一日也會經歷分娩，於是認真仔細地觀看，甚至設身處地感受影片中產婦的痛苦與喜悅。如此一來，她們將對更多細節萌生興趣。相反地，男學生卻抱持著「關我什麼事」的態度。對他們來說，眼前的影片只是在重複自己早就知道的知識罷了。就算影片裡充斥著未曾看過的畫面與未知資訊，他們卻視而不見，只是一句「這我早就知道了」。

明明什麼都不懂卻堅持「我早就知道了」，才是最可怕的地方。

知識跟常識不一樣

會這樣輕易認為「我都懂」的學生，通常也都會輕易脫口「老師請解釋一下」。然而，很多事情不是透過語言解釋就能夠理解。我常說，最難教的學生就是會說「請解釋一下」的那一種。

當然，我並不是說無法用言語來解釋或溝通，而是說有很多人沒發現，大部分的事情無法用三言兩語確切傳達、理解。正因為有這般誤解，他們才會認為只要「問了、聽了就會懂了」。

我會試著告訴這些學生：「你們隨口就要我解釋一下。這種問法就好比，你們有辦法解釋分娩的陣痛是什麼感覺嗎？」男性當然無法親身體驗女性的陣痛，但如果實際近距離觀察生產，那麼男性也多少能理解，而且至少好過那些看了醫學或健康教育教科書就覺得自己很懂的人。

任何事情都能輕易地透過「說明」而讓人全盤了解——這種想法其實有

些可笑，許多人對此卻不知情。

除了上面的例子，時下也有很多年輕人同樣沒意識到，幾乎所有事都不是解釋一下就能理解的。「看電視就會知道」、「努力看球賽就可以了解足球」……他們不明白這不是所謂的理解。

有一次評論家兼廣播主持人彼得・巴拉坎（Peter Barakan）先生對我說：「養老先生，日本人是不是以為『冷知識』就等於『常識』啊？」我馬上大聲回答：「沒錯！正是如此。」他的話完全說到我心坎裡。

在日本有太多人沒發現「我懂」這一句話，跟「我有許多知識」是不一樣的。回到分娩的影片，男學生認為自己擁有許多健康教育的「冷知識」，因此認定自己「懂」分娩這件事。此外，照這種想法延伸，最後便會無可避免地導向「只要想辦法解釋，對方就能理解我」這種謬誤。

現實是什麼？

如果深入思考「懂」這個詞，便會觸及這個問題：到底什麼才是現實？換句話說，「大家都該知道」的事到底是什麼？不過，沒有任何人能真正了解所有關於現實的細節。

不只是我，讀者應該也可以想像，有些當事人就算身處案發現場也可能對現實渾然不知，而人類的記憶更是極不可靠。

這個世界就是如此，渺茫無法掌握，古人對此知之甚詳。這一種曖昧模糊，正是芥川龍之介所寫的《竹林中》（藪の中）與黑澤明導演改編的《羅生門》的主題。這則故事重點之一，就在於同樣事件在三個人的眼中卻完全迥異。現實中的你我又何嘗不是身處於「竹林深處」？

然而時至今日，不知自己無知的人卻與日俱增。他們漫不經心，誤以為「人類已經大致掌握了現實世界」或者「只要想知道就有辦法」。

許多人不過是看了電視新聞，就自認「知道」、「了解」二〇〇一年九月十一日發生在紐約的著名事件。其實，他們不過是在電視畫面上看到飛機撞上兩棟高樓，高樓於是倒塌，接著他們又反覆聽見新聞對恐怖份子背景的相關解說。

不過，即便透過新聞或報紙得到了一定程度的資訊，我們不知道的事情還是非常多。例如現場民眾的感受、恐懼，都是透過新聞報導無法得知的，但人們卻一味地認為：只要看過新聞，我就能對當天的事件略知一二。這正是恐怖的地方。

「知道」現實中的細節，這件事有那麼容易嗎？

其實不然。而且正因如此，人類才會產生探求確切答案的欲望，宗教即由此衍生。我認為基督教、猶太教、伊斯蘭教等一神教，皆是基於現實中的不確定性所誕生的宗教。

也就是說，他們認為世上有一個絕無僅有的存在，能掌握人類所無法掌握的現實——那就是「神」。正因為有神，就能成立一切皆有正確答案的前提，所以這群人無論在科學或其他領域上都抱有追根究柢的精神。如果沒有獨一無二的神，就沒有所謂的「正解」。

相較之下，日本人過去信仰的是八百萬神[1]，因此本質上對真理、事實就無意追究。這是非常理所當然的，因為「絕對的真實」本來就不存在於這個世界。這是一神教與多神教的巨大差異，日本與代表世界上多數人的歐美及伊斯蘭社會也是如此。

有「公正客觀」的媒體嗎？

我認為「客觀事實的存在」這種論調，最終都將演變為信仰之談，因為

1 日本神道教為泛靈多神信仰，將各種動植物及精靈，以及人物死後的靈魂視為神祇。

只要不斷深入探討，我們會發現沒有任何人可以確認任何事。現在最令人感到害怕的，就是太多人堅信客觀的事實是存在的，卻沒發現這是一種信仰。

我會說最有代表性的例子就是ＮＨＫ，其冠冕堂皇的宗旨即為「公平、客觀、中立」。

我不禁想問：「這根本不可能做到。為什麼可以說出這種話呢？難道ＮＨＫ是神嗎？」就算不是神，我還是想問：「還是ＮＨＫ信奉伊斯蘭、基督教或猶太教？如果不是，那為什麼可以隨隨便便主張何謂『正確』呢？」

輕信所謂「正確」──這種態度實在太可怕了。相信自己就是「客觀」，卻未曾認真想過其實我們根本無法輕易地全盤理解「現實」。

如果政治家傳出貪汙醜聞，媒體便會做出「反正他就是壞蛋。以上。結束。」的結論並公開報導。這顯然是一種思考停止，那些當事者卻毫無自覺。

彼得・巴拉坎先生所說的「將常識與冷知識搞混」便是這種狀況。「常識」一詞所指涉的廣袤世界，並不是由數量眾多的「冷知識」組合而成，許多人卻是非不分。

那麼「常識—common sense」到底是什麼呢？十六世紀的法國思想家蒙田（Michel de Montaigne）對常識的大略解釋為：所有人都會這樣認為的事。意思就是，先不論其內容是否為絕對的事實，「只要是人就會這樣想吧」。

在這個世界被認為理所當然的事，在其他世界卻未必如此——蒙田知曉這個道理，他不會盲目地相信「客觀的事實」，而是將其理解為「常識」。

科學的詭異之處

「科學」是另外一種容易誤解的概念。你可能會想：「雖然你這樣講，但在科學的世界裡肯定有『絕對』的存在。」

我沒有實際上進行調查統計，但我想，恐怕有將近九成的科學家都相信「事實在科學中是存在的」。而至於一般人，應該只會更相信科學就是絕對，但事實完全不是如此。

舉例來說，近年來很多人會說地球暖化是因為二氧化碳等溫室氣體增加，彷彿這是一項「科學事實」。不只科學家，連政府部門都把這個理論視為既定事實，並據此進行各項研議。然而，這不過是地球暖化的其中一種理論罷了。

以「地球暖化」來說，可稱之為事實的，只有近年來地球的平均氣溫不斷上升這一部分。將原因歸咎於二氧化碳增加，不過是解釋全球暖化的眾多推論之一。

順帶一提，氣溫上升本身雖然是事實，但人類目前仍然無法判定氣溫將一路往上攀升，或者現在正好處於一個波動循環的上升片段。

我先前獲邀參加林野廳環境省的座談，主題是日本對於京都議定書條款的政策、預算以及復興山林等計畫。計畫書的開頭寫道，「二氧化碳增加所導致的全球暖化將可能導致以下事件發生」。我看到之後，便建議他們改成：「推測可能是二氧化碳增加所導致的全球暖化」。現場馬上就有官員反對，並表示「國際會議上有八成的科學家都贊成二氧化碳造成全球暖化」。但是科學並不是多數決。

「這種想法讓我很憂心。」我回答那位官員。在內政上，如此大範圍採信單一科學論述並且據此做出決策，這種狀況想必也不是第一次發生。但如果之後發現該論述有誤，恐怕已經引起非常嚴重的問題。

特別是因為政府機關通常有一種特性，他們只要採行某項政策就難以轉彎。所以，隨隨便便就把「科學推論」視為真理是很可怕的。

「科學事實」與「科學推論」是完全不同的兩件事。以全球暖化來說，氣溫上升是科學事實，而起因為二氧化碳上升則是科學推論。如果用稍微複雜的方式來思考，一定會對如此單純的推論產生懷疑，但搞混事實與推論的人實在太多。嚴格來說，就連「事實」也可能只是眾多可能的其中一種觀點。

科學需要反證

維也納的哲學家卡爾・波普爾（Karl Popper）說：「無法反證的理論不算是科學理論。」一般稱之為「反證主義」。

舉例來說，不管一個理論看起來多麼「科學」又正確，如果內容只是收集大量有利於該理論的數據，就等於毫無意義。你無法用「發現一大群白鳥」來證明「所有的鳥都是白色的」，而必須透過嚴格反證「是否真的沒有黑色的鳥存在」，才能稱之為科學理論。

也就是說，真正的科學並不是「有道理可說明」即為事實，而是願意直視論述中可能被反證的灰色地帶。

以演化論為例，「天擇說」的缺陷就在於無法反證，沒有人可以反證「生存者即為適者」這一論述。因為「被淘汰的種類」照理來說已經不存在於當下的世界。

無論解釋有多麼合理，這都只是對於現實的一種詮釋，實際上已經無法比較「被淘汰者」是否都是環境不適者。

波普爾所舉的最佳例子，就是愛因斯坦廣義相對論的反證。他仔細思考這項理論是否能用實驗證明，以及愛因斯坦說「空間是扭曲的」這個論述是否正確。

為了具體證明，他派人在日蝕的時候觀測星星的位置，而後驚奇地發現他們竟然能觀測到應該被太陽擋住的星星。這表示光線的行進會扭曲，同時也進一步證明了空間是扭曲的。因此波普爾說，「一個巨大理論如果越是能將一切都堵在一個實驗上，那就越是了不起」。

「真確」到底是什麼？

前文的說法很容易招致誤會，有人可能會說「那不就表示什麼都不能信了嗎」。會這樣認為，是非常魯莽且不科學的。

我不是說「世上沒有任何真確之事」，而正是因為我們總是想要探究「真確之事」，所以才會懷疑、才會想要證明。不能將整個概念簡化成一句「世上沒有真確之事」，而沒考慮到這整個過程，否則只是一種文字遊戲。

嘴上說「這世上不是沒有真確之事嗎」的人，不可能會想到自己晚上回家時，房子有可能會憑空消失。但實際上，房子因為火災而被燒毀的可能性不等於零。一切都只是機率的問題。

讀者也別著急，不必抱著頭說：「我再也無法相信任何事了。」如果一個人如果總是處於這種不安定的狀態，反而容易投入邪教的懷抱。

我的意思並不是「因為一切都無法確認，所以一切都不要相信」。你大可認同二氧化碳是全球暖化主因的機率非常高，就像平時天氣預報會說「降雨機率是百分之六十」，這種說法是普遍能被接受的。同樣地，「我認為二氧化碳為全球暖化主因的機率為百分之八十」，這種結論也沒有什麼問題。

重點在於，我們必須體認這是「推論」而非「真理」。我對此如此執著，因為除了全球暖化，在今後還會有更多政策受到科學論述影響，而且發生的可能性相當高。若盲目相信科學就是絕對，恐怕後果會十分危險。

另外補充一點，科學不是一種意識形態。意識形態的核心永遠是「百分之百」，但科學未必如此。

バカの壁

第二章

大腦係數：影響認知的祕密

同樣一件事，為什麼讓一些人視而不見，
卻讓另一些人反應過度？
在人類大腦中，「現實」的意義到底是什麼？

大腦的輸入與輸出

我們在日常生活中常常會觀察到一種人，他們對於不想知道的事充耳不聞。這一種狀態如果不斷延伸，便會產生戰爭、恐怖主義、民族或宗教間的爭端，例如伊斯蘭主義者與美國的對立——雖然後者規模廣大，但我們仍可看出是相同脈絡的衍生。

讓我們從腦科學的觀點切入，討論大腦的輸入與輸出。大家應該都能猜到，「輸入」指的是進入大腦的訊號，而「輸出」就是針對該訊號產生的反應。輸入為五官感受，輸出則是指最終帶有意識的反應，更具體的說法是「運動」。

這裡的「運動」並不是指專門的體育項目——說話是運動、書寫是運動、招手與表情變化也通通都能算是運動。更進一步來說，大腦接收到輸入訊號而產生想法也是運動的一種，這時不妨將大腦內的運作當成輸出的表現。

又例如在人在溝通時，雙方的反應也是輸出。

大腦的一次方程式

在五官感受輸入與運動輸出的過程之間，大腦又扮演著什麼樣的角色？這時候，大腦會反覆處理輸入的訊號。

若將輸入大腦的訊號看作x，輸出為y，便可以得到「y＝ax」的一次方程式。這個模型表示：某一個輸入訊號x，在腦中乘以係數a之後，得出反應y。

如果要形容係數a是什麼，不妨將之稱為「現實的重量」。係數a會因人而異，也會根據輸入的訊號而有劇烈變化。通常只要輸入x，人類都會有所反應；y存在則表示a不為0。

然而，現實中仍有a＝0的特殊狀況，這時無論輸入任何訊號，都不會產生輸出。沒有輸出則代表該訊號對於行動不會產生影響。

如果輸入對於行動無法產生影響，就等同於不存在的事實。如同前文所述，男學生就是因為係數a等於0（或無限趨近於0）所以才會對「分娩影片」毫無感覺。對他們來說，這部影片彷彿不存在，因此無法從中到任何感想。

腳邊的小蟲與硬幣

同樣道理，以色列人無論接收到阿拉伯人的任何意見、或者來自世界各國的批評，係數都是零，所以他們的行動不會受到任何影響。

相對地，對阿拉伯國家來說，以色列一切主張的係數也都是零，所以有聽等於沒有聽。換個說法，對於係數為零的聽者來說，對方不管說什麼都不是事實。

再舉一個切身的例子。如果有一條蠕動的小蟲在腳邊，我肯定會停下腳步，但對蟲子沒興趣的人則會徹底無視，不屑一瞥。這是因為對沒興趣的人來說，與輸入蟲子相應的方程式中的係數等於零。

不過，如果落在腳邊的是一枚硬幣，那人說不定會停下來。如果腳邊是一張賽馬券，他可能還會心想「搞不好會中獎呢」，於是停下腳步撿起來；但如果是我，我不會因為賽馬券而停下腳步。

「輸入」對於「輸出」的影響可謂涇渭分明。每個人對現實的感官不同，原因就是係數a不同，a可能為正值、負值，或者為零。

係數無限大的宗教狂熱份子

完全沒在聽爸爸訓話的小孩也是a＝0的日常案例。不管小孩聽見爸爸嘮嘮叨叨說了多少次「去整理房間」、「記得寫作業」，就算他當下點頭如搗蒜，實際上卻根本沒聽進去，隔天照樣故態復萌。

對小孩來說，訓話的內容係數a＝0。因此無論爸爸多麼努力地進行輸入，都無法對小孩的行為產生影響。唯一有影響力的輸入只有爸爸生氣的臉——小孩看見爸爸生氣的臉之後，會不自覺想要逃跑，這時才真的引發「輸出」。而孩子眼中的現實，只包括「爸爸生氣的臉」，而不包括「爸爸訓話的內容」。

與a＝0相反的則是a＝∞，最具代表現性的例子則是「基本教義派」的信徒。

a等於無限大的情況下，某些特定資訊、教條對於當事人來說就是絕對的存在、絕對的現實。換句話說，這種特定的輸入將會完全主導當事人的行動。

師父說的一字一句、阿拉真神的話語、聖經上指示的內容都會徹底左右一切，因為對當事人來說，a是一個無限大的係數。

情感的係數

大腦的一次方程式也可以大致說明人類的行為模式。雖然本書前半部多用「理解與否」作討論，但其實這個方程式也可應用於情感方面。

簡單來說，a若大於零（正值）則表示喜歡，a若小於零（負值）則表示厭惡。當我們看見某個人，視覺訊號x即為輸入，而此時若a為正數，則行動y也將為正數。

任何人面對親近或喜歡的人時，都會不由自主地感到開心、振奮，而且想要靠近對方、給予微笑等。但若遇到討厭的人或債主，則a會變成負數，得出的結果y也將為負數。像是快速逃走、痛毆對方、擺臭臉等行為，都是負數行動的表現。

行動數值有正有負，意思是a可以是+10，也可以是-10。大腦會根據運算結果展現出相對應的行動。

就情感方面來說，當美國人看見恐怖份子首腦賓拉登時，由於係數是極大的負數，所以會產生憤怒、憎恨等情緒。相反地，假如看見賓拉登的是伊斯蘭基本教義派，則a將轉變為正數。

一般而言，我們批評責難他人時的想法通常是負數的表現。但當我們認真地批評他人，多少也代表我們把批評的對象視為現實。

也就是說a這時不等於零。正因如此，行動才會發生改變。無論是憎恨或嫌惡，至少都表示該訊號確實被認知為現實。

無法適應社會的人

有一個例子非常容易理解，就是男女間的好感程度。原本看不對眼的人最終卻發展為情侶關係——這種故事非常常見。嘴上說「好討厭」其實心裡好喜歡，就是相似的道理。

簡單來說，因為向量突然發生了一百八十度的轉變，因此產生了喜歡的情緒。但這種變化在a＝0的時候是不可能發生的。如果兩方都對彼此完全沒興趣，也就無法將對方視為現實的一部份，「目中無人」正是這種狀態。

根據不同情境，a的數值也會大致決定當事人是否適合當下的環境。適當的a值代表當事人可以融入環境，反之則不然。

「跟公司不合而離職」的狀況，可解釋為「當事人的a值」與「公司環境所輸入的x」無法產生有益的結果，也就是a值設定不良。

如果當事人到任何公司最後都做不下去，則表示當事人對於每一家「公司」發出的共同訊號，都無法設定出合適的a值。這跟無視「爸爸說教的小孩」道理相同，如果一個人對「上司指示」反應常為零者，便不適合在公司上班。

無庸置疑的是，在人際溝通上 a 值就算是負數也好過不存在。以公司為例，係數為負數的話或許還有救，但如果係數為零，那其他人就真的無計可施了。

累積的負數有可能會在一夕之間變成正數，就像黑白棋一樣。

在宗教領域，負數轉為正數基本上也被認為是可行的。放蕩之人改邪歸正的基督教故事便是一個例子。改變的契機當然是與神相遇，才能使 -10 瞬間變成 +10。

此外，宗教若成為基本教義派，影響力就會變為無限大，強迫教義成為「絕對的真理」，最終導致恐怖主義，至此再無溝通的可能性。

a = 0 或 a = ∞，在現實中都會變成糟糕的問題。恐怖主義即是 a 等於無限大的一種邪惡表現。日本過去也發生青年將校份子為了自身信仰，不問是非地殘殺反對者。[2]

我們生活周遭鮮少出現這種極端人士。畢竟一個人的 a 如果等於零或者無限大時，社交生活會變得窒礙難行。但數學上卻不得不處理這類極端案例。而在倫理上，任何存在的案例都必須納入考量。意思就是，不管a等於零或無限大，多半都會導致糟糕的行動，並招來不幸的結果。

人類世界中所追求的社會性，大致會希望我們在面對各種刺激時，都能盡可能保持一個適當的係數a。其數值視情況而定，也可能最佳的值就是零。例如當你在街上走路時，一直對電線桿產生反應的話其實也不好。

近年流行「EQ」一詞，EQ其實就是情感與情緒。「情緒」指的是將輸入訊號經由大腦機制處理之後，所產生適當的權衡輕重。

上述的說法不是屁話也不是歪理。我們將大腦看作計算機、當成輸入與輸出的一種裝置是非常合理的。平時很少人會這麼想，所以套用這個一次方

2 日本在一九三〇年代曾歷經少壯派軍官與其民族主義支持者發起的一系列政治暴力運動，如日本五一五與二二六事件。

程式時會有些不習慣。說到底，人類為什麼以為自己的大腦比較高級呢？實際上根本不是如此。我們的大腦就是一部計算機。

第三章

個人特質只是謊言

時下每個人都羨慕「有個性」的人，
年輕世代尤其如此，
但人類自古來卻因為「共同性」而進步……
這其中大有矛盾！

「共同理解」與「強制理解」

讓我們再來深入討論一下「理解」這件事。簡單一句「我理解了、我懂了」，其中的含義卻有所不同，我們不如將「理解」區分為「共同理解」與「強制理解」來思考。語言基本上是「共同理解」，是一種讓世上所有人都能理解事物的共通手段。從語言中再篩選出最共通的理解項目，即是「邏輯」、「邏輯學」以及「數學」。

所謂的數學是一種邏輯，只要有辦法證明，就算對方不願意也必須承認其「正確性」。這已經進入了「強制理解」的範疇。只要某一個理論能經過數學上的證明，便必須被眾人接受。

數學實現了自然科學需要另外加上「實證」的要素。人們對於經過實驗得出的成果必須更加認同。這種無法違逆的特性，構成了強制認同，或者可以稱為「實證之下的強制理解」。

人類的大腦會依照上述流程，盡可能將共同理解的事物傳遞、散布給其他人，這種特性是人類進步的原動力。社群媒體的發達無疑是「共同理解」發展下的結果。

有無數人（數量遠超越過去的想像）可以透過社群媒體同時看見相同的畫面。不僅是語言，社群媒體讓許多人能夠在特定議題上接收到共同資訊。若將共同理解看作一種能讓人們相互理解的手段，那麼上述發展自然是一種趨勢。

但不知為何，這世上卻有一派勢力反對這種發展。其中最具代表性的，就是尊重「個人特質」等諸如此類的言論。

近年來，有越來越多觀點將「個人特質」、「自我」、「原創性」視為至寶。文部科學省[3]更是如此，像是「適性發展」的教育、「要尊重每個孩

3 類似於台灣的教育部。

子的性格」，或者「要教育出充滿創意的孩子」。

如前所述，假設追求「共同理解」確實是人類文明的趨勢方向，那麼，這種講求個人特質的言論便會成為無稽之談，而且充滿矛盾。文明發展的原因明明是因為人類共同理解的傳播，卻又大肆提倡「個人特質」之說，豈不是很奇怪嗎？

富有「個人特質」的精神病患

基本上，如果一個人身處現代社會，並且能真正充分發揮其「個性」，那他多半會被送往精神病院。

想像一下應該就能理解。假設有一個人會在其他人笑的時候哭，卻在喪禮時大笑，而且問他為什麼居然也回答不出個所以然。

顯然這個人與普通人非常不一樣，確實充分發揮了自己的「個人特質」。但這樣的人如果真實存在，想必不久之後就會被扭送至精神病院。

在精神病院裡，你可以看到五花八門、無奇不有的個人特質。我所認識的患者當中，有些人每天用糞便在牆壁上寫自己的名字。如果把這種行為看成是藝術創作，搞不好還挺厲害的，至少無疑是現代藝術界至今無人挑戰過的創舉。當然，這種行為實際上增加旁人的困擾而已。

所有人應該都可以完全理解上述道理，但又是誰說出「適性發展」、「發揮原創性」這種沒有責任感的話呢？我們真的想在小小的國家裡追求這種東西嗎？

我常說，如果有人在擁擠的公共澡堂裡發揮自己的原創性，那可真是麻煩……。

一味美化個人特質而完全不考慮其他事，難道不是個謊言嗎？我認為這才更接近「常識」。關於這個問題，只要認真思考一下就會覺得理所當然。

一邊說著個性好重要，卻又一邊偷偷觀察旁人的眼色——這就是現在日本人在做的事。就算要重新開始，也必須先認清現狀才行。無論是個性還是原創性，我們根本連屁都沒有。

你是「說明書型人」嗎？

被要求要發揮「個人特質」的不只兒童，連學者們也是。不過在學術界，無論多麼強調個人特質，發表論文時卻一定會被要求以英文書寫。

學術論文中會有「材料與方法」的段落。以寫論文來說，語言應當是「方法」的基礎。然而，學術世界大多以英文為共通語言，並要求學者用英文寫作。此時哪裡又有個人特質可言？

「以英文撰文」的規定實際上並不存在，卻有人說「不以英文書寫就無法被看見」。不過，沒人知道又是誰決定了我們為什麼一定必須被看見。

我看著現下的年輕人不禁心生可憐，他們深陷在矛盾的窘境當中，不僅得遵從綁手綁腳的「共同理解」，又得追求意義不明的「個人特質」。他們就算進入了社會上任何一個組織，也老是會被要求貫徹「共同理解」，同時又被口頭鼓勵「發揮個人特質」。我不得不這樣想：這到底是要他們怎麼做？

融合這兩者，最終得到的就是這種矛盾的要求：請發揮「符合需求的個人特質」。意思是除了公司期待的「個人特質」之外都無須存在——這種說法非常可笑。

諷刺地說，「說明書型人」就是為了因應這種矛盾要求而產生的，他們會說：「雖然我對『個人特質』沒什麼見解，但只要給我一本說明書，我就能展示出所有合宜的表現。」這種態度看似謙遜，實際上卻相當桀傲不遜。

這種態度的意思是：「雖然我和其他普通人不太一樣，但只要能給我一本記錄了一般規則的說明書，那不管有什麼要求，我都可以完美展現。」這種人通常自認是完人，認為自己在各個面向都有均衡發展，可以從容面對任何狀況。

我個人無法遵照說明書行動，更從一開始就無意閱讀。因為我在實際開始動作之後，自然就可以掌握最佳的流程順序。

舉例來說，在製作標本時，有時會需要把昆蟲的交尾器拔起。此時如果把乾燥的昆蟲交尾器恢復到原本柔軟的狀態，就可以輕鬆拔除。

原本的最佳做法是在剛捉到昆蟲時，就先將交尾器拔除，如此一來就能不留痕跡地將交尾器完美拔除，之後再放回原位。也因此，一般的做法是在剛拿到昆蟲時就進行拔除。我也從實際經驗中學習到這方面的知識，例如，拔除時可以利用家庭清潔用的漂白水來輔助。

世界上沒有記載上述流程的說明書，但我就是知道必須這樣做。除此之外，關於軟化變硬的昆蟲的方法，也都是我在工作過程中自然而然學會的。

發揮個人特質的結果

那麼現在，如果我是一個很「有個性」的人，那麼會發生什麼事呢？試著想像有一個人有著非常強烈的自我主張，而且意圖向其他人傳遞自己的主張。

這個時候，我如果選擇自己認為最適當的語言詞彙來與人搭話，大概沒人會願意聽。以現在的自然科學領域來說，最適當的語言應該是英語。所以如果我想討論有關自然科學的主題，那麼我當然要使用英文。

但這樣一來，恐怕就不會有日本人願意聽我講話了。又或者如果我認為最適當的語言為波斯語，那麼恐怕演說台下連一個觀眾都不會有，而我也可能從演說台上被移到救護車的擔架上。

再強調一次，原本人類意識徹底追求的便是共通性。而語言中的倫理、文化與傳統，便是為了徹底確保該共通性而存在的。

人類的大腦有著忽視個人間的差異、欲求同化的特質，腦中有意識的部分區域尤其如此。所以，由語言中萃取而出的邏輯才會有壓倒性的說服力，使人無法反抗。

每個人與生俱來的特質

既然大腦徹底追求共通性，那麼所謂「個人特質」到底是否存在？其實，這是我們每一個人自始自終都有的東西。

為什麼這麼說呢？因為我的皮膚無法移植到你身上。就算是父母的皮膚也無法移植到子女身上。如果硬要移植，則為了成功不得不使用大量免疫抑制藥物。

連皮膚都是如此。也就是說，其實每個人從一開始就已經被賦予了所謂的個人特質，不多也不少。

一個人就連與親生父母也有差異，為何還不能放心認定自己就是一個獨特的個體呢？反之，意識世界卻是以「共同理解」為中心運轉。事實上，人與人之間肯定有無法共通之處。也因此，雖然我能理解阿拉伯與伊斯蘭教派的思考方式，但如果一個文化將「個性」表現於外，那麼最後一定會導致紛爭。

想到這，我認為比起在教育現場對年輕人一再提起「適性發展」這種鬼話，不如多跟學生們談一談。你了解父母的心情嗎？你了解朋友的心情嗎？你了解無家可歸者的心情嗎？這樣一來，或許可以成就更好的教育。

上述思維大大違逆了現今的教育方向。但我常說，你們到底哪裡有個性了？你們的個人特質是不是跟空盒子一樣——裡面空無一物？

反過來說，現在請讀者想一想有哪一個年輕人非常有個人特質？我腦海中馬上浮現的是棒球選手松井秀喜、鈴木一朗，還有足球選手中田英壽等人。簡單來說，他們的身體就是個人特質。

沒有人會覺得誰有辦法模仿他們。沒有什麼比身體更能稱得上是個人特質的。

他們的成功，除了自身的努力之外，也得力於上天——或者說父母所賜予的身體資質。二流選手就算比鈴木一朗多做十倍的練習，也無法追上他。因為我們每個人從一開始被賦予的東西就不一樣。

第四章

萬物流轉，但資訊不變

在資訊爆炸的現代，
許多人認為世界上的資訊瞬息萬變，
而自己旁觀一切，是一個連續而不變的個體。
真的是這樣嗎？

我是我嗎？

延續上一章的思維，「個人特質」理所當然應該寄託於身體而非大腦，但這個觀念目前在大眾認知中卻剛好相反。另一個常見且相似的謬誤，就是人們對於「資訊」的認知。

大家往往會認為「資訊」時時刻刻都在變化，而接收資訊的人則不會改變。許多人自認為每天都在更新資訊，而自己不變，還富有個人特質。不過，這種想法實際上也是無稽之談。

仔細想想應該就會發現，我們其實每天都在變化。古希臘哲學家赫拉克利特（Herakleitus）曾說「萬物皆流轉」。人類即使在睡眠當中，仍然會成長、會老化，時時刻刻都有變化。

昨晚睡前的「我」與起床後的「我」是完全不同的人，去年的「我」與今年的「我」也不同。不過我們在早上起床時，並不會有那種變化新生的實際感覺，原因在於大腦的機制。

如同本書前述，人類的大腦為了順應社會生活，會追求「共通性」而非「個性」。同樣道理，大腦每天也會執行追求「自我同質性」的工作，讓你感覺「我就是我」。假如每天早上起床都覺得自己變了一個人，那你恐怕沒有辦法繼續社會生活。

那麼相反地，不會變化的東西是什麼？其實正是「資訊」。赫拉克利特雖然已經離世，但他說過「萬物皆流轉」這一句話，卻以希臘文的形式一字不變地流傳到現在。假如問他：「你說過的『萬物皆流轉』這一句話，是否真的流轉了？」不知道他會怎麼回答。

像這樣永恆流傳的話語就是資訊，是絕對不會改變的。以採訪來舉例，即便同樣的採訪者問我同樣的問題，我每一次回答仍會有某些微妙的不同。不過，在每一次採訪的當下，錄下的採訪內容本身卻不會改變。這正是生物與資訊間最大的不同。

當「自我」變成一種資訊

所謂「生物」就是不斷變化的系統，而「資訊」指的是其中恆常靜止的那一部分。萬物皆流轉，但「萬物皆流轉」這句話卻不流轉，意思也就是：資訊不變。

不流轉的事物稱為資訊，古人卻錯而將之稱為真理。他們認為真理不動，也不會改變。雖然他們所言不假，但不變的其實是資訊。我們必須認知到，人類就是會不停流轉變化。

現代社會被稱之為「資訊化社會」，換句話說，就是以意識為中心的社會，或者大腦化的社會。

意識中心是什麼呢？就是將無時無刻都在變化的生物性的自我，進行「資訊化」的狀態。由於人的意識會追求「自我同質性」，所以會不斷告訴自己「我就是我」、「昨天的我跟今天的我都是一樣的」。這就是「個人」

在近代的定義。

近代所謂「個人」的意義已經被資訊化。原本應該是一直變化、不停流轉、投入生老病死的人類，卻主張「我就是我」的那種同質性，想要把自己幻化成為不變的資訊。

正因如此，人們才會主張所謂「個人特質」，這樣才可以認定自己有不變的特性，無論明天或後天都永遠不會改變。若沒有將自我資訊化的信念，就不會說「個人特質是存在的」。

資訊不會變，變的是人

古人並沒有前述的愚蠢想法，與身處資訊化社會的你我不同。為什麼這麼說？因為他們知道所謂的「個性」其實本來就不停變化。

閱讀古文便能發現「人類恆常變化」、「個性並不恆常」這類思維的反覆出現，《平家物語》的開頭就是如此。

「祇園精舍鐘聲響，訴說諸行本無常」這句話透露出什麼訊息？如果用物理性來思考鐘聲，那每一次發出的應該都是相同的聲音。但為什麼在不同時空背景之下，聽起來卻有不同感受呢？那是因為人類不斷變化的關係。聽的時候有不同的情緒，聽起來的感覺就不一樣。《平家物語》開宗明義便是這個道理。

日本三大隨筆之一《方丈記》的開頭也如出一轍：

「川流不息，既非原水。」

有一條河川，這是一項不變的資訊，但構成河川的水，卻時時刻刻都在變化。「世間人與棲所，豈不皆然」，意思是人與世間的萬物相同，皆在流轉而永不停歇。

這兩部中世紀的名作都在開頭顯示出這種世界觀，我們可以將這一種基本概念當成是中世紀發端的。

那麼中世紀以前又是如何？以日本平安時代為例，則無異於現代都市。當時的人們按照大腦中浮現的圍棋棋盤規劃一整座城市，與現在的狀態頗為相似。

那個時代的藤原道長[4]之類的人物，一定也會說「我就是我，不會改變」。但事實並非如此，因為人生就是萬物皆流轉的一環。

「君子豹變」是貶義詞嗎？

這是我先前去演講時發生的事。有一名在音控室的中年男子對我說：「我覺得『君子豹變』聽起來是個貶義詞。」當然不是這樣。

「君子豹變」一詞出自《易經》，指的是「君子若知己錯，則將立刻改

4 日本平安時代最具代表性的權臣之一。

過向善」。不過，為何那名中年男子會有誤解呢？因為他的前提是「人不會改變」。

他認為一個人突然改變是不可理喻的——這或許就是現代人固有的思考方式。

《三國志》中有「士別三日，刮目相看」這麼一句話。只要三天不見，一個人就可能發生無法想像的變化。所以我們再次遇到三天沒見的人，就得睜大雙眼好好審視一番。

但在大眾普遍認定「人不會改變」的近代，這句話恐怕就不再適用了。而「刮目」一詞也將被世人淡忘。

不知何時開始，變與不變的事物相互翻轉，意識到這點的人卻十分稀少。我這一個星期買回家的周刊，裡面的內容無論過了多久都不會改變，再過一個星期之後內容仍舊相同。

人們誤以為資訊每天都在更新。以周刊為例，其實只是因為每一週都會有新刊，僅此而已。

西方世界在十九世紀時就已經完全都市化，社會也已經資訊化，此時便有人注意到了這個詭異的現象。卡夫卡的小說《變形記》探討的就是這個主題。

小說的主角格里高爾．早睡醒之後，發現自己變成一隻蟲，但他的意識卻不斷告訴他「我就是格里高爾」。

正是因為「不變的人與多變的資訊」這種觀念跟事實完全相反，終於有人意識到現代社會的荒謬之處了，這就是《變形記》的主題。

「知道」與「死亡」

談到「人」與「變化」，我就想到我給學生們上課時感受至深的一件事。與其說他們不得不讀書，倒不如說他們幾乎沒思考過讀書真正的意義。

我對這件事有著切身之痛。

某種程度上來說，讀書就是「知道」某事。知道與讀書之間雖然不是百分之百相等，但關係確實十分密切。

但我不禁心想，不知從何時開始，人們對於「知道」的意義與理解方式已偏離了正軌。

我辭掉東大的工作之前，曾擔任東大出版社的理事長。當時最暢銷的一本書叫作《知的方法》，同時也是東大教養學部的教科書（彷彿想知道一件事還得遵循特定的說明書一樣）。

我很討厭這本書。但為什麼它會如此暢銷？於是我曾經在出版社的會議中提出討論，但最終仍未得到解答。除了我之外好像沒人在乎這個問題。

在那之後過了約一年，我自己思考所得到的結論是：「所謂『知道』這件事，就跟聽見自己確診了癌症一樣。」我告訴學生：「你們也可能罹患癌症。如果現在你確診了無法治療的癌症，被告知只剩下半年壽命的話，這時你再望向那邊盛開的櫻花，眼中的風景一定看起來會完全不同。」

這番話淺顯易懂，學生也聽得進去。這種程度的想像力他們還是有的。如果這時再要你回想這些櫻花去年的模樣，怕是怎麼也想不起來了吧。櫻花改變了嗎？並沒有。改變的只有自己。而所謂「知道」，無非就是這麼一回事。

「知道」代表了自身的劇變。隨之而來的是一整個世界的變化，是視角、觀點的變化——即便眼前的風景與昨天沒有任何差別。

脫胎換骨的智者

古人談到學習、學問時的想法正如前所述，於是才會有「君子豹變」、「士別三日，刮目相看」等說法。

《論語》中也有一句話可以完美呼應：「朝聞道，夕死可矣。」句中的

「聞道」指的是習得學問、知曉某事的意思。

如果能在早上習得了學問，晚上就算死掉了也沒關係——應該有很多人覺得這句話很亂來吧。我年輕時也完全不懂這句話，但我在思考「知道」的意義時，卻突然恍然大悟。

簡單來說，當一個人得知自己罹癌之後，櫻花看起來會跟以前看到的完全不同，這表示當事人已經變成了一個不一樣的人。也就是說，如果一個人已經想不起來去年看到櫻花時是何種心境，那麼他就有如死後重生。

如果一個人不斷發生這種狀況，那他會在某天一早起床發現，自己已經產生劇烈變化，而整個世界與昨日完全不同——這件事跟「自己將在晚上死去」相比，便也不足驚訝了。舊我不斷被消滅，而新我亦將重生。

人類原本就會不停改變，也會在知曉某個道理之後重獲新生。對於經歷了無數次這種經驗的人來說，死亡並沒有特殊意義。因為過去的我此時此刻也已經死去。我想這句話的意義就是如此。

但對於現代人來說，「朝聞道，夕死可矣」這句話幾乎是不可理喻的。因為他們認為自己是不會改變的，只有資訊才會改變。

另一個例子則是名字。現代社會的人，名字基本上不會變化，但古人從乳名到成人典禮都會不斷變換名字，甚是「名實相符」。

如果「人會不斷改變」的前提成立，則名字隨著人的成長而有變化也是理所當然。五歲的我跟二十歲的我是不一樣的，因此改變名字不應該是奇怪的事。

相反地，社會制度以及社會分工如果被固定，襲名制自然會應運而生。如果孩子將在未來繼承父親的事業，則父子使用相同名字會有社會意義上的便利性。也因此，在歌舞伎的世界中，即便換了無數代，叫作「菊五郎」的人都可以一再粉墨登場。

如果這種前提改變了，我們的生活也將跟著改變。例如，人們對於「約定」這件事本質上的感受將會大不如前。

政見為什麼跳票？

如果把「人會改變」這個道理硬塞進現代人腦中，那會發生什麼事呢？大概只會徒增各種耍賴的好理由，像是「昨天跟你借錢的人不是我喔」。借東西必須歸還的約定是一種前提，而必須遵守約定是社會上最優先的規則之一。

人會改變，但說過的話不會，資訊也不會，因此「約定」照理來說是絕對的存在。但近年來約定卻變得越來越不受重視。

就像前文提到那些顛倒錯置的情況——該變的東西不變了，而不變的東西卻開始變了。

小學老師不再告誡孩子必須遵守約定，孩子們也不再要求同伴。難怪打勾勾變成過時的行為。

看看大人的世界就更好懂了。政治人物們根本不把約定當一回事，說的全都是謊言。聽的人也心知肚明，知道政客口中的約定馬上就會變卦。

約定變得不被重視，這正是「資訊會變化」的謬誤中最好的例子。政治人物競選時誠心誠意向選民做出約定，但心裡卻想著「誰管我說什麼」，反正說過的話不過是「資訊」的一種，最終都會改變——但選舉時的我與當選後的我都是不變的，這樣不是很棒嗎？

人會改變是理所當然。日本有一句古老格言：「武士一言，駟馬難追。」武士之所以謹言慎行不是為了要帥，而是隨便亂說話會讓他身陷危險。

武士如果做了糟糕的約定而無法遵守，後果將危及性命。考慮到自己擔負的責任，則責任較大者會更加謹言慎行。《漢書》中「綸言如汗」的意思就是如此，代表說出去的話像是汗水，無法收回。

約定、發言都越來越不被重視的理由，就是因為人們不知從何時開始設立了一種前提，認為「只要是同一個人，那麼他的想法、他想說的話應該都不會改變」。

嘲笑背信的肯亞之歌

人比起言語（也就是資訊）才是不變的一方——如果順著這種思維，我們會側重於人，並在不知不覺間，無意識地照著這個方式運行。這是一個被前人反置的前提，再加上完全沒發現前提被反置的後人而產生的狀況。

我曾跟著電視台到非洲的圖爾卡納部落（Turkana）取材。導播與當地人約定，會在正式取材的前一天，送給他們三袋玉米與三公斤的嚼菸。而後導播也真的在當天依約帶著約定的物品前往部落。

抵達之後，他發現村裡的成年男性們都不在，因為圖爾卡納人是遊牧民族，男人們都帶著牛到山裡去了。村裡只剩下爺爺、奶奶還有小孩子。基本上就是女人、兒童以及老人。他們載歌載舞地熱烈歡迎我們。我們透過翻譯得知他們說話與唱歌的意思。

那首歌的歌詞是這樣的：「之前投票時當選的傢伙，說要做這個、做那個，做了好多好多約定，結果最後什麼也沒有。昨天說要帶禮物來的客人，卻真的把東西帶過來了。」

我們以為他們還居住在大自然，尚未都市化，但原來他們的世界早就變得跟日本政治界差不多。因為都市化（即意識中心化、大腦化）的概念正在全球蔓延。

共同意識也有時差

世界扭曲至此的原因之一，無非是因為人們對這種顛倒錯置的狀態毫無自覺，大家都活在一個以意識為中心的世界。

明明活著的人就是從頭到尾在變化著，大家卻滿懷自信地以為「我，就是不變的資訊」，這也衍伸出了尊重個人特質的觀點。

當我們討論到意識世界，或者說心的世界，無非是以感情、道理、共通性為前提。這也是人們溝通、對彼此解釋的意義所在。因此要把個人特質帶入以意識為中心的世界本來就是無稽之談。

當然，即便是追求共通性，也未必代表那個時代的所有人都能在同一時間得到共識，其中一定存在時差。

莫札特最初發表作品時，曾經被批評「那根本不是音樂」。他的創作是時代先驅，不可能一時之間就讓所有人明白。

結果，莫札特最後變成了西洋音樂的象徵之一。所有事物經過時間的洗禮，基本上都一定會被理解，就算理解的速度有所差異，但最後都會被「共有化」。

對意識來說，共有化是極其重要的；與意識相對而保有個性的，則是身體，或可稱之為無意識。

上述理論對現代人來說像是天方夜譚。不只如此，許多人還認為意識世界才是個人特質的泉源。若真是如此，又該如何解釋松井秀喜或長嶋茂雄這兩位棒球員的個人特質？或許有人會認為，既然個人特質就藏在意識之中，那他們不妨多說些話——而長嶋茂雄說話也真的非常有「個性」就是了（常失言或發表奇怪言論）。

比「個人特質」更重要的東西

這是現代社會經常忽略，也是造就了「圍牆」這個大問題的根本。先是「人不會改變」這個錯誤的大前提，再來是對於這個錯誤毫無自覺。

這本該是每個人都注意到的事。現在日本的課本也有收錄《方丈記》與《平家物語》，但就連負責最重要的「教學」的老師們也不懂文章的真義。

古人對此恐怕也是無意識的，因為有些觀念早就內建在他們體內，所以不必做太多困難、追根究柢的思考，就能理所當然地接受。而現代人深信資訊為日更之物、自己永不變，而且有個人特色，其實本質上跟古人沒有差別，不過是人們視為理所當然的東西隨時間有所改變罷了。

當然，「我就是我」這種想法如果沒有一定的真實性，必然會讓人非常困擾。我到死之前都是一個個體，這樣描述的話確實我就是我。而我體內的基因一生都不會改變——形容這就是同樣的我，似乎沒有錯。

但如果將「人」與「資訊」兩者的本質稍作比較，思考宏觀而言哪一方不會改變，那麼答案應該就呼之欲出了。所以，別再對年輕人說「要有自己的個性」，應該要請他們多去了解其他人的心情才對。

也可以說，不刻意展現出來的個人特質才重要。即使所有人都不小心變得平均化了，倒也不必太在意。

我們可以告訴年輕人：「這世界上沒人會分不清楚你跟你的隔壁鄰居。」除非你們是同卵雙胞胎，或者金婆婆與銀婆婆[5]，否則你們本來就長得不一樣，一定可以區分出來。請告訴年輕人，再也不用杞人憂天地煩惱「我的個性到底是什麼」。

比起個人特質，了解父母與朋友的心情，對於年輕人的日常生活來說才是更重要的事，而這也直接連結到「常識」的問題。

說到這裡，讀者應該都很清楚了吧。不理會最重要的問題而談起個人特質，又怎能在世間「有個性」地活著呢？

不了解他人，你便無法生存下去，因為社會建構於眾人的共通性之上。人類想成就許多事，卻又要認為自己與眾不同，結果理所當然，就是最後一事無成。

5 著名的雙胞胎姐妹，一度是金氏世界紀錄上的「人類史上最長壽雙胞胎」。

意識與語言

前文提到，人類意識傾向於追求自我同質性與共通性，其中最具代表性的例子之一就是「語言」。針對這個問題，西方的希臘哲學尤其有長時間的深入探討。

我們在此可以進一步認識常難倒日本人的「定冠詞與不定冠詞」，也就是「the」與「a」之間的差異。除了站在意識共通性的觀點，接著也讓我們想想大腦處理語言的方式吧。

舉例來說，請思考一下「蘋果」這個詞。如果讓所有人都寫出「蘋果」這兩個字，每個人寫出來的字一定會不一樣，因為我跟你的筆跡本來就不一樣。

就算使用活字印刷也是同樣結果。除了有明體、歌德體等不同字型，嚴格來說，就算用的是一樣的活字印刷機，放大成品之後也能看見紙纖維與或墨水暈染等微妙的差異。到頭來，每一組蘋果的字還是不一樣的。

那麼，哪裡才找的到所謂正確的「蘋果」兩個字呢？答案是不存在的。聲音也是相同的道理。就算說的是正統的英文發音，也不能說這就是所謂「正確」的英文發音，而充其量只是某一個人的發音罷了。即便是以英文為母語，每個人的發音也會有所差異。

一個人用同樣的發音唸出同一個字，每一次都必然會有微妙差異，跟墨水暈染的道理相同。然而，我們所有人卻將每一次同樣都當作是蘋果。

在我的認知裡，最早提出這個問題的人是柏拉圖。他認為概括「蘋果」這個詞，完全具備一切蘋果性質的「完美蘋果」是存在的——他稱之為蘋果的「idea—理念」。

而具體存在的每一顆蘋果，則是該「理念」在這世上的不完美呈現。一言以蔽之，語言就是意識，是從意識當中衍生出來的。

柏拉圖的理論用白話來說就是：

「不覺得很奇怪嗎？明明每一顆蘋果都長得不一樣，但我們卻將所有眼前不一樣的蘋果都稱呼為『一顆蘋果』，也就是說，一定有一個可以將所有蘋果都概括起來的存在才對。」

這個概括一切的存在被他定義為「理念」。

柏拉圖提出了囊括全體的理念，而我們又是為什麼會將全部不一樣的蘋果（無論是寫的或說的）都同樣稱作蘋果呢？

因為我們的意識可以把所有蘋果都看作是同樣的東西，進而引發這種現象。

假如只透過感官欣賞外在世界，一切都應該是獨一無二的，而每一顆蘋果都是不一樣的。跟「蘋果」這個詞的道理相同，每一個「人」也都是不一樣的。

也就是說，「人類」這個詞本來不該被使用。因為嚴格來說，每一個人都與眾不同。

大腦的「蘋果活動」

我們的意識為何非得保有這個無視於事實的功能，會讓我們把所有蘋果認定為「相同」的蘋果？原因在於，大腦如果無法分辨各種資訊的同質性，那這個世界將會分崩離析。我們必須融合耳朵聽到的世界與眼睛看到的世界，所以大腦（也就是意識）才會聲稱所有蘋果都是相同的蘋果。

人們聽到或看到「蘋果」這個詞的時候，腦中便會開始進行「蘋果活動」。蘋果活動是什麼？就是在沒看到真實蘋果的狀況下，也能在大腦中引發「看到真實蘋果」的反應。我們可以藉由觀察人類想像蘋果時的大腦視覺區來理解這種反應。

人們在想像蘋果時，實際上大腦視覺區的反應幾乎跟看見蘋果是相同的。如果不是這樣，那我們就無法光憑想像畫出蘋果。

也就是說，蘋果一詞所代表的含意，除了外界的蘋果，還包括了大腦內部的「蘋果活動」。這樣看來，蘋果有雙面的意義。西方語言的某些部分非常能彰顯這種思維，所以西方哲學很早就開始討論這個問題。

是哪些部分呢？與這個問題息息相關的，正是讓許多人學習英文時一個頭兩個大的定冠詞與不定冠詞。

大腦中的the與a

描述「桌子上有一顆蘋果」的英文是「There is an apple on the desk」，此時大腦的運作如下：

「桌子上有一個東西，這個視覺情報進入到大腦，大腦於是開始進行語言活動，也就是蘋果活動。」

這時候用的是「an apple」。意思是，輸入腦中的視覺資訊（紅色的、圓圓的東西）經過蘋果活動的分析之後，所得到的結果是「蘋果」。使用不定冠詞表示還停留在大腦的處理階段。

接下來，我們實際用手握住、咬一口眼前的這顆蘋果。當然它也可能是一顆蠟製的假蘋果。無論如何，這時蘋果已經變成了一個實體，所以變成了「the apple」。在英文裡，如果一個東西轉變為實體，那就必須使用定冠詞。

到這個階段，蘋果已經不再是一個廣泛的概念，而單指那一顆我雙手碰觸的特定蘋果（或不同情境下的蠟製品）。此時大腦的設定為，外界的每一顆蘋果都是特定的、與眾不同的蘋果。

存在外界的蘋果，必定都是獨一無二的蘋果。相對之下，大腦裡的蘋果卻是柏拉圖那種「理念」的蘋果。因為我們無法實際看見大腦中的蘋果，因此意識便只得將所有蘋果一視同仁。但這時腦中的蘋果並沒有固定形式，包括顏色、形狀、大小都還未定型，也因此是「an apple」。

這就是定冠詞與不定冠詞的差異。從柏拉圖時代一躍到現代，在語言學中深入批判這個問題的，是提出「能指」與「所指」理論的語言學家索緒爾（Ferdinand de Saussure）。

索敘爾認為「語言賦予的意義」（能指），而「事物透過語言被賦予意義」（所指），藉此闡釋自己的觀點。由於這種說法讓人似懂非懂，索敘爾的理論也總是被認為晦澀難懂。

融合前文所述，我們可以想成「語言賦予的意義」指的是腦海中的蘋果，而「透過語言被賦予意義」的則是桌子上真實存在的蘋果。顯然，索敘爾也注意到了語言的雙面性。

不受重視的定冠詞

日文也有如此重要的區別方式嗎？答案是肯定的。如果只有日文沒有就太奇怪了。大腦既然追求共通性，那麼日本人的大腦就不可能用與眾不同的方式來處理語言。

因此，日文當然也有同樣的區別方法。有雖有，但日本人卻不曾討論，或者說根本沒注意到。語言專家對外在（如文法知識、定冠詞、不定冠詞）常有各種嚴格繁雜的定義，讓一般人難以理解。

就拿日本人耳熟能詳的句子來舉例：「很久很久以前，有一位老爺爺與一位老奶奶（おじいさんとおばあさんがおりました）。有一天，老爺爺去山里砍柴（おじいさんは、山へ柴刈りに）……」請你試著說明前一句的「が」與下一句的「は」有什麼不同？

當小朋友讀到「很久很久以前，有一位老爺爺與一位老奶奶」時，腦中會浮現老爺爺、老奶奶的形象，然後才在想像中創造出特定的老爺爺與老奶奶。再接下來，就可以讓這兩位特定的老人在故事中動起來了。所以，讀到第二句「有一天，老爺爺去山里砍柴……」時，特定的那位爺爺就已經出場了。

很神奇的是，此時的「は」與「が」其實有著定冠詞與不定冠詞的功能。但順帶一提，根據語言學家們的定義，冠詞顧名思義必須「冠」在名詞之前，因此「は」與「が」在文法上仍屬助詞。

但不討論詞性的話，功能可說是完全相同。而且我研究之後發現，希臘文也有將冠詞置於名詞之後的用法。

仔細想想，不管是柏拉圖也好、索敘爾也好，他們的觀點看似艱澀，實則並不困難——他們研究的基本上就是關於「自我同質性」、虛幻的語言世界的一門思想，或者換句話說，也是關於資訊世界與系統世界的一門思想。

當人想到神

蘋果屬於實際存在的事物。但如果是抽象的概念，例如想到「神」的時候，大腦又是如何活動的呢？

人類在幼兒時期的大腦尚未被灌入任何程式，只透過基因制定了大腦各部位的分工。舉例來說，如果碰到火燙的茶壺，我們會「啊！」的一聲並將手快速抽回，這個動作沒有用到大腦。簡單來說就是本能，或稱為反射動作。這個反射動作輸入大腦之後，我們才發出了「啊！」的叫聲。

在這個例子中，輸入與輸出連接的方式極其單純。最佳的代表就是動物與昆蟲。以反射為主的行為也常常被稱作「常態」或者「本能」。

動物或昆蟲相當依賴本能，輸入與輸出的功能單純，而與之相比，人類的大腦在輸入與輸出之間有相當複雜的迴路。

黑猩猩從眼珠、皮膚或耳朵來看，與人類並沒有太大差異，甚至是非常相近；兩者基因的鹼基配對有九八％以上相同。黑猩猩的眼珠與人類的眼珠，本質上也相同，因此照理來說，兩者的視覺輸入應該也要是一樣的。

人為什麼要思考？

但問題就在於，人類大腦的處理裝置變得異常巨大。人類的大腦約為黑猩猩的三倍，像是一部大型電腦。這樣一來，碰上外部的輸入訊號時便不再只有單純輸出。人類的大腦變得能取代外界訊號，自行分別輸入與輸出，自給自足地讓訊號不斷在腦中循環。

這種狀態說好聽一點是沉思，但不斷循環這個動作的人，也可能拼命思考卻一無所獲，「笨人無良策」說的正是如此。

這種典型的撞牆期只會發生在人類身上，動物或昆蟲可沒有這種閒情逸致。

那麼，難道這種「腦內自體循環」完全沒有意義嗎？當然不是。人體這種系統只要一停止活動就會退化。肌肉如此，胃如此，任何部位都是如此，如果不持續運轉就會進入休眠模式，然後慢慢退化。而大腦也是如此。

因此，人類膨大的進化大腦為了維持功能，就必須看似無意義地不停動作。不過，如果只是被動等待外界的刺激，卻還不一定可以讓大腦產生足夠反應。是故大腦便演化出自給自足的刺激產線。

這也就是人們所謂的「思考」。

思考過度也罷，但輸入與輸出不可間斷，無限循環。只因為這種循環停止的話，大腦便會退化。人類大腦巨大化之後，即便是在無意識的狀態下，無限循環也自然會開啟。

有了這些輸入訊號，人腦的神經細胞就會一個個與其他神經細胞產生連結。我想，這就是為何人類會有如此繁多而無謂的思緒了。

偶像的誕生

「神」所代表的抽象概念，就是在人腦這種運算裝置中，不斷循環所製造出來的產物。

不過，人類會因為這個僅有之物可能與其他之物不同，而開始感覺不安，於是心中忍不住渴望具象的形體。神像、佛像就是這樣誕生的。

不只是神，人類在大腦中憑空催生的產物不一而足。這些產物在過去被稱為「概念」，也可看作是柏拉圖說過的「理念」，雖然這些想像與外界有一定的關聯性，但基本上就是大腦的創作。

用最白話的方式解釋就是：「神」所體現的是人類的進化以及大腦的進化。而今後，這樣的進化又會朝什麼方向前進？其實，可以解答此問題的實驗目前正在進行中，但當然不可能是將人類大腦瞬間巨大化的這種瘋狂實驗。取而代之的實驗對象是老鼠。

如果這世上有「超人」……

用人為方式將老鼠大腦巨大化的實驗非常成功，製造出大腦褶皺增加的老鼠。

人類與黑猩猩在進化過程當中，雖非人為，卻也真實發生這種相似的變化。人類與黑猩猩共享九八%的相同基因，前者的大腦卻是後者的三倍，這無疑是遺傳因子起了某種變化。大腦的進化與少數特定的基因肯定有關係。

如果有朝一日能將這些基因萃取出來，或許能將之改良，讓猿猴的腦變大，或將人類的腦變成現在的三倍大，諸如此類。想到這裡不禁覺得有趣。

那我們能不能創造出某種「超人」呢？這個問題十分有趣。這種新型人類，除了能像現在的我們一樣思考、感受，或許還會具備額外的能力也說不定。

胡說八道一下，當這種超人真正誕生的時候，或許現代人就要準備退場了。正如同先有黑猩猩，後有現代人。到時候世界會變成什麼光景，已經是我這種普通人類無法想像的事。答案大概只有超人知道。

黑猩猩不懂我們的喜怒哀樂，我們也無法理解超人的心情。吾知吾輩之所知、之所想、之所感，但超越人類存在的超人之所知，自然只有超人才清楚。

現代人的進化

最久遠的類人猿南方古猿，其腦容量約為四百五十毫升；北京猿人約一千毫升；現代人則約一千三百五十毫升。如果容量再往上，就是我們現代人責任結束的時候。大自然中人類的進化便是如此。

能思考人類所思考的，能感受人類所感受的，而且在這之上又具備更多能力，這就是人類所認定的神。全知全能的神，是人類無法理解的。因為祂們擁有我們沒有的能力。

神原先是古人在腦中創造出來的，而人類習慣不斷將大腦的產物轉換為現實。

人類在腦海中想像自己能飛翔，最終創造出飛機與飛行傘；想像與遠方的人溝通，便創造出電話與視訊；電腦也依據人類對大腦的想像而創造出來。

那麼，人類自萬古之初就開始想像的是什麼？沒錯，就是「神」。所以人類絕不可能只滿足於神像，而不去將祂實現。

實現的第一步，就是正在進行的老鼠大腦巨大化實驗。老鼠體型維持不變，實驗只增加大腦皮質的褶皺。藉此成功再現黑猩猩進化為人類時所發生的變化。未成熟的實驗鼠最後會在胚胎階段被製成標本。

人類在好奇心的驅使下，肯定會很想讓實驗鼠繁殖後代，並觀察其行為，從各個面向研究實驗鼠與普通老鼠有何不同。接下來自然而然，人類想知道把實驗對象換成黑猩猩又會發生什麼結果？電影《決戰猩球》的猩猩外表如猿猴，大腦卻堪比人類、甚至更勝於人。這或許就是上述想像的產物。最後更讓人忍不住思考，如果把那個終極實驗的對象換成人類，又會如何發展？

我們無法想像超人（擁有三倍大腦褶皺的人）會具備什麼樣的能力。儘管我們可以理解所有人類共通的部分，但對於我們想不到的東西，若不試著將它具體化，便對其樣貌不得而知。

不難想像，這些超人的意識或許會有和我們不同的「個人特質」。不過，前提當然是腦容量以及生物學上、身體上的「特質」必須存在。

第五章

被遺忘的無意識、身體與共同體

走路有意義嗎？睡覺有意義嗎？
現代人理所當然忘記的許多事，
其實可能造成社會問題乃至國際問題。

忘記「身體」的現代人

前面討論了許多種「牆」，會在不知不覺中形成並將我們困住。有些今日我們認為理所當然、實則「顛倒錯置」的現象之所以發生，不只是因為我們對資訊的認知有誤。與這些現象密切相關的，還有「無意識」、「身體」與「共同體」。「意識與無意識」關於大腦，而「身體與大腦」關於個體，「共同體」則關乎社會。

在許多面向上，現代日本都常出現這種現象。我認為問題出在日本人對這種現象的存在沒有發覺，或者說已經完全忘記。

戰後，日本人已漸漸不再思考的其中一個問題就是「身體」——我們只使用大腦卻忘記了「身體」。可能有人會說「才沒這回事呢。我會頭痛、也會肩膀痛啊」、「我能感覺到變胖之後爬樓梯更累了」。但我現在要討論的「身體」，並不是這個意思。

邪教徒的神祕體驗

要討論這個問題，我們不妨先來聊聊犯罪史與戰後思想史中的大事件主角——「奧姆真理教」吧。

無須多言，奧姆真理教事件在各種意義上都是非常嚴重的問題。對於該如何看待這個事件，我有好一段時間都理不著頭緒。甚至也有些受騙者是我所教過的東大生。我想不通：為什麼明明一臉神棍的傢伙可以把大學生騙得團團轉？

直到我拜讀了竹岡俊樹寫的《奧姆真理教事件完全解說》（「オウム真理教事件」完全解読）一書才總算明白。竹岡先生是一位考古學專家，這本著作使用了考古學方法來分析奧姆真理教。

考古學方法的意思是，分析時只使用奧姆真理教的出版物、相關叢書、新聞、雜誌報導等等。考古學這一門學問只會使用遺留後世的物證為基礎，並對事實進行重組，所以用這種方式來分析奧姆真理教，可以當成是考古學方法。

竹岡先生仔細研究了「入教」時，信徒與原信徒發表的體驗內容。他寫道，「信徒們之所以有強力信念，是因為他們真實經歷了被教主麻原彰晃稱為教義的神祕體驗」。竹岡先生的結論是，因為麻原彰晃有過一定程度的瑜珈修煉，所以才有辦法「預言」修行中的弟子們身體將會如何變化，並賦予他們所謂的「神祕體驗」。對那些從未正視過自己身體的年輕人來說，教主口中的「預言」當然令人無比驚訝。

讀到這裡，我心中「到底為什麼這種男人會有這麼多追隨者？」的疑問，總算有了解答。

軍隊與身體

關鍵字在「身體」。「身體」這個主題，我長久以來都認為是日本戰後社會的通病，或者說文化上的缺陷，這在前文也似乎得到證實。身體的義務在戰爭時期由軍隊負擔，不過在戰爭後卻消失殆盡。自此之後，人們逐漸迷失了與最親密的身體接觸的方法，直至今日。

以日本來說，大多數人回溯至三代或四代以前都是平民百姓。也就是非都市人口。但隨著突如而來的近代都市化，原本與自然為伍的人們忽然之間就變成了都市人。

這裡所說的「都市化」，指的是前章所述的「大腦化社會」——即人類將腦中所建構的畫面實際具體化的社會。所謂都市，首先必須要能將人類大腦中的想像化為實際。

隨著都市化，這個問題在進入現代社會後的日本快速浮現。中國或猶太文化或許因為都市化的歷史較為悠久，這類問題多半早已解決。

即便如此，日本在某一時期仍可透過軍隊，強制性地訓練都市男性的身體。軍隊是一種什麼樣的組織？簡單來說，就是將身體統一為不經思考即可運動的組織。上戰場時如果太多無謂的思考，可能會在瞬間失去性命，所以必須透過操練徹底將反射動作輸入到身體。絕不能在上級命令向右之時，還花時間思考「向右正確嗎」。

如何與身體互動

為避免誤會，在此補充說明，我絕不是贊成「恢復徵兵制」。此處並非討論軍隊制度的好壞，而只是描述有軍隊的時候，所屬人員不須就身體多做思考這一事實。

在思考發生之前，就透過訓練強制性地讓身體做出反應，讓人不得不依賴身體而活。無論當事人是否願意，都會不自覺受到身體的影響。

在軍隊消失之後，人們又如何與身體相處的？針對這個問題，奧姆真理教的麻原彰晃給了某些年輕人提示。我認為，這正是奧姆真理教事件中最重要的一點。麻原將自己根據瑜珈所改編的「教誨」傳授給不懂與身體相處的年輕人——他們為身體所苦，於是乎就跟隨給予他們解答的領袖。

不只是奧姆真理教，用身體修行一直以來都有危險性。古時，佛教的苦行必須遠離人群才能進行，或許這正是古人的先見之明。

用「身體」來學習

「活動身體」與「學習」的關係密切。大腦中同時存在輸入與輸出，輸入的資訊引發輸出，並且牽動往後的輸出變化。

以日常生活舉例，不會走路的嬰兒在跌倒的過程中學會了走路方法。一開始輸出的結果，也就是跌倒，會接著影響下一次的輸出。大腦不斷重複這個過程，最後便能找到不再跌倒的走路方法。

可以概括大腦運作方式的模型「神經網路」，會在第六章詳細說明，在此先一言以蔽之，那就是「神經網路」創造出能自我修正的學習機制。這種機制會依據每一次的輸出結果來決定下一次的最終輸出，如同人類的學習過程。

例如，如果要寫出一個讓電腦識別不同文字的程式，用這種自主學習機制的話，效率會高過事先詳細設定的識別系統，而且也會更精簡。

文武必須雙全

我們可以將人類比喻為學習的機器，使用依賴輸出經驗的學習方式。

「學習」或許會讓人聯想到看書，但不僅於此，一個動作必須伴隨輸出才能稱得上是學習。所謂輸出，並不是只有肢體活動，大腦中的訊號循環也是輸出的一種。像是數學問題的思考，就是腦內輸入與輸出的循環例子。

然而，我們往往會太過在意輸入而忘記輸出。也就是忘記身體。

在江戶時代，當時大腦中心的都市社會與現代頗為相似。經過朱子學派的熱潮之後，陽明學派成為江戶時代的主流思想，其宗旨為「知行合一」。也就是說，人的所知與所行必須達到一致。[6]

甚至可以說：「所知」如果沒有轉化為「輸出」就沒有意義。這豈不就是「文武雙全」真正的涵義嗎？文武雙全的意思，並不是把文、武區分開來，然後熟習二者。而是二者必須交流循環，讓學習到的事物影響並改變自己的行為。

6 朱子學派是江戶時代信奉朱熹學說的儒學團體；陽明學派源自明朝大儒王陽明，對日本的近代歷史影響巨大。

以嬰兒來說，他們的學習程式在開始爬行時就已經啟動。爬行時他們驅動身體，使輸入的視覺訊號發生變化，並藉此調整自己的反應，也就是輸出。如果爬行時差點撞到桌腳，他們下次就會記得避開。他們發現在身體移動的過程中，視覺也會變得更寬廣。上述反覆的過程就稱之為學習。這種輸入與輸出的經驗累積，也有助於嬰兒的語言學習。最後則是學會如何在大腦中獨立完成輸入與輸出的循環。而這類抽象思考最具代表性的例子，就是數學與哲學。

轉換環境，或者轉換心態

嬰兒能夠非常自然地用身體學習。求學階段的孩子也一直在累積新的經驗。但是已經發展到一定程度的大人，不僅是輸入受到侷限，就連輸出也是。這種狀態卻相當不健康。

工作的專業化，就是在侷限個人的輸入與輸出，就像是一台電腦只能固定運行一種程式。所謂健康的狀態，應該是要可以時常更換程式，改變輸入與輸出才對。

以我自己為例子，我在東大任職的這段期間看到的世界，與我辭職之後看到的世界，簡直有著隔世般的天壤之別。我原本決定在任職期間，也要在大學裡暢所欲言地批評，但辭職之後我才發現，我其實是侷限了自己。不將這一層侷限扒開，就看不清侷限。這就是所謂的無意識。

「遊歷在外，不怕出糗」意思是當你逃離日常生活的共同體之後，方才發現平時侷限我身的規定有多麼擾人。活動身體與發現新世界，兩者的關係非常緊密。

為了不招致誤會，在此補充說明，我並不是鼓勵大家轉職。如果成年人想要轉換環境，就必須離婚或離職，那麻煩可大了。就算一個人一直在做同樣的工作，但他更新腦中的理解與程式也不是罕有的事。

如果一直做同一件事情就是不好的，那麼像我從小到大都喜歡抓昆蟲，是不是等於毫無長進呢？答案當然不是如此單純。

同樣都是捉昆蟲，但以前的我跟現在的我已經大有不同了。例如說，我曾經抓到一隻象鼻蟲，而牠的特徵卻無法吻合所有圖鑑上的照片。

小時候，我可能會覺得「一定是我眼花了才會跟照片不一樣」，但經過長時間的歷練，現在的我已經學會考慮各種可能性「也許有問題的不是眼睛，而是圖鑑」。對於同一件事物的看法，隨著長年經驗的累積而產生變化，這種情況並不罕見，可謂是一種腦內程式的改良或更新。只不過，正如前文討論科學時所說的，我們必須時時抱著實事求是的態度。

大腦中的身體

談到身體的問題，如果從大腦的角度來看又是如何？人類大腦的最上端控制腳，其下大腿，再下去則是腹部，以此類推。剛好與實際的身體順序完全相反。不過大腦的構造到了頸部的部分，順序又會再次顛倒、回到頭頂。

從最上面開始是：腳↓大腿↓腹部↓胸部↓頸部，頸部之後若順序不變，照理來說應該是：下頷↓嘴↓鼻↓眼↓頭，與實際構造相反才對。然而，實際上到了頸部的順序卻變成：頭↓眼↓鼻↓口↓下頷，以這樣的結構在大腦中分布。請見美國神經外科醫生潘菲爾德（Wilder Penfield）的小人圖（homunculus），如圖一所示。

在人類的大腦中，是以頸部為界將頭部與身體上下斷開。補充一點，蝙蝠的大腦則是一路按照頭到腳依序配置，也就是：頭↓手↓腹部↓小腿，與人類幾乎相反。我想或許是因為這樣，蝙蝠不同於大部分時間都頭上腳下行走的人類，而總是倒掛著身子。

為何人類要從頸部將身體分段呢？這關於頸部以上與頸部以下的運動方式，因為兩者完全不同。頸部以上的代表運動為攝取食物，而以下的代表運

圖一

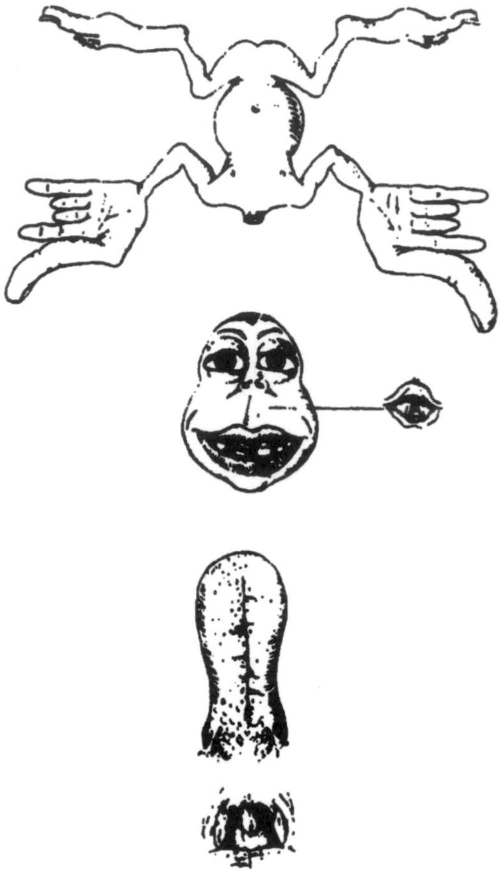

潘菲爾德的小人圖。從腳開始依序排列，但到了頸部以下卻先是頭頂，而不是下頷。

動則為移動身體。兩者的目的完全不同。這樣一看，大腦以頸部為界分割身體，其實意外地非常合理。雙手被安插在其間也自有道理。

以人類來說，頸部以上部位的運動，除了進食之外還有溝通這種重要的功能。溝通必須同時使用嘴巴與雙手。除了人類，這世上幾乎沒有可以邊走路邊吃東西的動物呢。

不再移動的動物

我一想到大腦以頸部為界將身體分段，就覺得「砍頭」的說法實在充滿象徵意義[7]。這不只是因為頸部是細長而容易砍斷的身體部位，而說不定是我們下意識中已經察覺到身體本來就分為上下兩段。

7 砍頭（首を切る）在日文中也象徵「開除」。

人類文明的發達其實是在抑制頸部以下部位的運動。例如說，汽車的出現取代了雙腳，也就是抑制了一種頸部以下的運動。

頸部以下的身體運動，原本對動物來說是非常基本的。「動物」之所以叫動物，就是因為用雙腳移動是最基本的行為。文明社會卻是透過抑制這種移動功能而發展成熟。

如此一來，人們又將如何看待身體呢？此時，如何定位身體是個極為重要的問題，但日本文化至今尚未解決這一問題，又或者應該說，日本人根本還沒意識到問題的存在。

以日常生活為例，日本人家中的榻榻米都在不知不覺間變成了西式地板。這對身體來說是很巨大的變化，因為坐椅子跟席地而坐的姿勢一定有所不同。

關於這件事是什麼時候被決定的，沒有人知道。當然不是議員們在國會上通過一條：「日本人的家裡就留一間和室，其他地方都改成西式房間吧！」無論如何，已經沒有人記得我們的生活到底是從何時變成坐椅子為主。

此外，日本的喪禮傳統上主要是土葬，但戰後隨著經濟高度發展，喪禮形式也轉變為火葬。火葬在江戶時代是被禁止的，因為怕釀成火災。

順帶一提，我過去任職的東大還藏有江戶時代的木乃伊。當時的風俗習慣是將屍體放進木桶再埋入濕地當中，有些屍體最終變成未腐化且濕潤的木乃伊狀態。有些保存狀態良好的木乃伊，甚至身上有毛髮殘留，包括性別、生前的身分都能看出端倪。

如今除了火葬，其他形式的喪禮幾乎都已經消失了。在過去，處理屍體的方式是關乎宗教的重要問題，但不知不覺間都已經變了。

社會共同體的崩壞

如果說個人忽略的是「身體」，那麼對整個社會來說，這就會變成「共同體」的問題。法國哲學家笛卡兒曾說：「每個人類都被賦予了良知。」普遍來說，一個人這世上只要生活在共同體當中，應該就可以達成「共同理解」。但日本卻在戰後偏頗了，或者說失去了「共同理解」。這個以「共同理解」為基礎建構的共同體，一半殘存而另一半則毀壞，這就是目前社會的困境。

現在因為經濟不景氣，有許多企業紛紛裁員。但身為共同體，裁員其實是不應該的。裁員是將當事人從共同體中排除，是萬不得已才能執行的措施。

工作共享才應該是共同體原本正確的運作方式，在過去的日本，裁員相當於「村八分」[8]這種嚴重的懲罰，但現代企業能夠輕輕鬆鬆裁員，就因為企業這個「共同體」已然崩壞。

很多人最喜歡的「天下一家」、「四海之內皆兄弟」等名言，就是基於過去人們對於共同體的幻想。為什麼呢？因為如果把共同體的概念放大到全世界的規模，就是這兩句話的涵義。

如果把這個概念延伸，日本人應該要將北韓的難民當作日本人來接納。北韓人民如果追溯到無數代之前，可能多數都曾經是「日本人」。所以逃至日本領事館的難民不應被視為亡命之徒，而是該堂堂正正地被當作日本人收留才對。

看看祕魯前總統藤森謙也[9]的案例，就會知道這不是謬論。他因為「曾經是日本人」的理由而被日本接收，由此可見，日本式的「共同體」理論當

8 在日本傳統中，「村八分」是對於破壞秩序者進行消極制裁的行為。

9 日本裔秘魯政治人物，因建立貪腐網路、迫害反對者、控制媒體而最終入獄。

時仍保存了一部份。

在北韓綁架日本人事件[10]中，也有些犯案者是日本人——也就是說是日本人的共同體夥伴犯下的。這種想法至少過去是確實存在的，但現在的日本人不那麼認為了。

在奧姆真理教事件中，信徒也同樣不被當作日本人。連地方的自治會都知道，這些人如果住進社區裡會有麻煩，所以拒絕他們的入住申請。這也表示，奧姆真理教的相關人士已經完全被排除在共同體之外，他們的孩子就算沒有做錯任何事也無法上學。這種徵象，就是過去共同體的概念已經崩壞的證明。

功能主義與共同體

共同體之內的成員都平等——這也不過是場面話，並由此衍生出日本社會中惡質的平等，因為這違背了企業或組織所追求的功能主義。

功能主義，就是為了實現某個目的而用人的方法。這個人做這件事，那個人做那件事。在這種思維下，有些說法是違背其精神的，像是「他很優秀，但我想讓他到更適合他的部門」或者「雖然他很無能，但我也沒辦法開除他，因為他要養家」。功能主義與共同體的惡質平等相互碰撞，最後得出的就是現在的日本社會。

那社會之後會變成什麼樣子呢？長遠來看，最終日本將變成一個無功能可言的共同體，因為功能主義終將戰勝共同體理論。

政府官僚更是典型案例，尤其是外務省（等同外交部）。沒人在乎「外務省的任務到底是什麼？」這種基本的問題，進入外交部的官員最後的行動依據，都只剩下自身團體的利益。比起守護國家利益，外務省似乎把它自身

10 指北韓特務於在一九七七至八八年間，多次在日本、歐洲綁架日本人的一系列事件。

的利益視為優先，至少在我眼中看來如此。

在這裡唯一像共同體的是：政二代、政三代的世襲官員特別多。連其他政府部門的員工也時常調侃他們不做正事。

雖然有點離題，但就我個人意見，不如將外務省納入宮內廳（掌管皇室事務的機構），然後設立一個「儀式部」好了。讓那些政二代、政三代以世襲的方式就任，哪一天需要使節團時，就命他們留鬍子裝模作樣去外國交流；受邀參加宴會時，他們也只要能維持餐桌禮儀就可以了。不過，這些傢伙還是必須認清自己真的沒有多厲害。

亡國共同體

最具象徵性的例子，發生在眾議員鈴木宗男收賄事件時。當時外務省次長從海外被召回國內，首次對外發言時他竟然表示：「面對這一次困境，外務省將一致團結……」聽了實在讓人火大。

外界批評你們的同事大手筆買下與愛人同名的賽馬、還跟鈴木宗男有勾結，這時你卻說「我們將一致團結」是什麼意思呢？社會輿論不是期待你們團結一心，而是鏟奸除惡，沒想到卻聽到「內部官員將一致團結」這種話……。由此發言可知，這些人根本無視於大眾的想法，思考時只想到自己的共同體成員身分。

他們這一種狀態與戰爭時期的日本軍人非常相似。當事人以為只有軍事武力才會讓國家滅亡，但實際上，愚蠢至極的內部紛爭也會損害國家利益。

日本在戰爭時期與美國對抗之時，陸軍與海軍雙方仍然爭奪著主控權，實在可笑。就算當時只剩下零式戰機可以使用，但預算仍被陸軍與海軍對半瓜分。

不管是以前或現在，政府各部會之間爭取預算的衝突都沒有平息過。他們只想解決各部會的問題，而非國家的問題，這絕不是今天才有的新鮮事。

在現代社會中，大共同體已經崩壞，剩下的只有部會與公司之類的小共同體。因此，其他外部共同體眼中「不太對勁」的事，在封閉的共同體裡面卻激不起波瀾。如前所述，最主要的原因就是人們缺乏「常識」。

而常識漸漸消失的原因，我認為就是：人們已經無視社會的整體，而只在乎各個小型的共同體。

理想的人類共同體

或許當社會全體抱有相同目標與價值觀時，就會產生理想的共同體或是家庭的解答。而這一切都必須建築在已經成立的大共同體之上。

所以，思考什麼樣的共同體才符合理想，這個問題本身是沒有意義的。以家庭來說，無論是大家庭、核心家庭或任何型態，最終所追求的都是幸福。同樣道理，共同體就是因為成員們追求的理想而存在，而之後「理想的國家」才成立，而非之前。

古時候「人人都能溫飽」是理想的其中一個指標。現代社會已經完成了這個目標，於是人們對「理想」的定義開始分歧，也使得共同體崩壞。有一部分的人認為，這種分歧代表表達方式很自由。聽起來跟歌頌「個人特質」有幾分相似。

然而，事實並非如此。就像有些常識「身而為人就該知道」，以人類來說，一定會有共通的方向存在才對。

我認為「人生有意義」這種想法就是其中一種影射。心理學家弗蘭克（Viktor E. Frankl）曾被囚禁在奧斯威辛集中營，並根據集中營的經驗編寫了《活出意義來》（*... trotzdem Ja zum Leben sagen*）、《意義的意志》（*Der Wille zum Sinn*）、《尋求生的意義》（*The Unheard Cry for Meaning*）等多部著作。

弗蘭克無論在書中或演講，都不斷針對「人生的意義」提出見解，他認為「意義來自於外部」。雖然有「自我實現」的說法，但「自我」想要真正實現些什麼也只能靠外部。反覆咀嚼，我認為其中涵義就是，人生的意義沒辦法只透過個體而展現，而必須透過與旁人以及環境之間的關係產生。因此，日常生活中能產生意義的地方，無疑只有共同體了。

人生有意義嗎？

弗蘭克在維也納大學教書時，曾對美國的留學生進行調查，據說有大約六〇%的美國學生認為「人生沒有意義」。相較之下，認為人生「沒有意義」的奧地利、德國、瑞士學生則占二五%。結果發現，美式思考的人比較會覺得人生沒有意義。此外，當時的統計數據發現，年輕的毒品成癮者幾乎百分之百認為「人生沒有意義」。

在身陷集中營、不知何時會被殺掉的情況下，弗蘭克思考了「活著到底是什麼意思呢？」這個問題，而他認為自己的人生意義就是「幫助他人開始思考人生的意義」。

弗蘭克也去問那些癌症末期、成天昏睡的病患何謂人生的意義。對醫生來說，這些患者已失去了活著的意義。但弗蘭克卻認為，「這些人在認知到自己的命運之後，他們採取的態度將能帶給其他人力量」，而這也是一種意義。其中一名癌症患者說，只要想到與孩子分離就會痛苦不堪。弗蘭克回答，那就表示你心中還有不捨之物。當然在死前就生無可戀的也是大有人在。

此時此刻，人生的意義是一個非常重要的問題。現代社會當中非法藥物盛行，認為人生沒有意義的人看似不少。所以思考人生的意義，不僅是對個人有必要，對於整個共同體來說也是如此。

我舉一個會帶來爭議的例子。九一一事件中的恐怖份子，不只無視慘痛傷亡，更令人震驚的是，這些恐怖份子認為這項任務具有相當重大的意義。

相較之下，美軍的反擊似乎沒有讓人有如此深刻的感受，這又是另一波震驚。在恐怖份子身上所能感受到的強烈意義，無論從自我中心或其他角度，我都認為是美軍沒有的。

不過，這種把意識形態當成人生意義的時代已經結束（如戰前的日本），我也無意將這種意義正當化。但這並不表示，人生的意義就此消失了。

以現代人來說，取代「人人都能溫飽」的共通問題，或許就是「環境保護」。為了保護環境，思考自己能夠對共同體或周遭的人產生何種影響，這應該也可以是一種人生的意義。

共同體運作時，人與人的禮尚往來也可以算是一種人生意義。人只要活著就必須應對某一些人、事、物，於是產生無法避免的禮尚往來。

向人借東西之後必須償還恩情——這種狀況很明顯就是一種意義。教育的根本，育人的目的，也是為了讓正直的下一代進入養育自己的共同體。而且，上述行為基本上都是無償的行為。

痛苦帶來的意義

或許思考人生意義不是一件簡單的事。因為答案尋之不易，也沒有正確解答。斷言「人生沒有意義」或許還比較符合現代人流行的作風，也更輕鬆省事。

然而，一個人如果不認真思考這個問題，那除了人類共同體外，自己也會招致不幸。

例如談到環境問題，有些人抱持著「反正火山爆發時環境也會一團糟」、「等到隕石撞地球，人類也會像恐龍一樣滅絕」這種虛無主義的想法。這些人無所作為而生活得很輕鬆，但他們的想法卻十分粗暴又安逸。

疾病帶來的痛苦有什麼意義呢？就算是醫生，也有些人只把治療當成重點，認為這個問題毫無意義。我們不應該只將痛苦看成「惡」，這樣一來，患者除了要承受病痛，還要面對這種毫無意義的事實，無疑是雙重傷害。

「痛苦有其意義」是宗教性的思考模式，依據不同的時空背景，甚至可能使某些毫無道理的社會性歧視被當成必然，有一定的危險性。但即便如此，「痛苦有正面意義」的多樣性思考仍有其必要。

近年來，自殺率不斷攀升，除了與經濟不景氣直接相關，也與一件事緊緊相連，那就是始終找不到人生意義的那群人增加了。

高橋秀實的傑作《魁儡民主主義》（からくり民主主義）中，有段文字寫到青木原樹海的自殺者。當地人在森林中展開搜索後，找到了那名自殺失敗的人，據說他表示：「我上吊之後樹枝斷掉，掉下來打在我身上。我還以為要死掉了。」這聽起來像是一則笑話，但這名自殺者在上吊失敗之後，還被樹枝打屁股，但他肯定從中發現重新看待世界的方法。

找不到意義時的那種思緒阻塞，就是自殺等各種問題的原因。有一次我與名編劇山田太一先生聊天時，他說「有超過一半的日本上班族都期待發生天旋地轉的大變化」。群眾因為無法靠自身力量擺脫阻塞感，所以做出這種無意識的期待。事實上，對於個體來說，不斷「思考意義」是十分重要的功課。在此借用弗蘭克的話：人生總是不斷向我們發問。

「共同體」這個詞很容易被誤解成是沒有面孔的人的集合體。然而，共同體其實與我們眾人的幸福以及「人生意義」緊密相連。

被遺忘的無意識

「無意識」和身體與共同體一樣，在戰後被人們排除，或者說被遺忘——讓我們意識到無意識吧，這句話聽起來很矛盾，但意思是，我們已經意識不到無意識的存在，也意識不到它的重要性。

現在的我們生活在都市，即大腦化社會當中。除了現代以外的例子還有江戶時代與平安時代。

所謂的大腦化社會，無論是人們照自己想法隨意興建屋舍、雜亂無章的都市，還是一開始就由政府或個人規畫整體、井然有序的都市，兩者都是一樣的。「我家雖然住在市中心附近，但周遭有許多公園，綠樹成蔭，所以我生活在大自然之中。」這句話並不成立。所有人基本上都是住在都市，也就是住在意識的世界裡。而且，因為完全沉浸在意識的世界中而忘記了無意識，許多問題由此而生。

發覺無意識的人

佛洛伊德之所以認為發覺無意識有其必要性，與歐洲在十八世紀之後的快速都市化密切相關。在這之前，存在於日常的無意識漸漸消失無蹤。也因此佛洛伊德才會主張必須「發覺」無意識。

無意識原本應該存在於日常生活，不需要刻意發覺。為什麼這麼說呢？因為我們每天都會睡覺。所有人都一樣，睡眠時的狀態都會接近無意識。在夢中的意識程度也會下降，與清醒時大不相同。

現代人恐怕已經把睡覺時間排除在人生之外了。其中一個原因是，因為我們生活在大腦建造的都市裡。

觀察年輕人的生活型態就可以一目瞭然。便利商店以年輕人為主要客群，二十四小時營業。當花草樹木都在睡覺的時候，只有便利商店燈火通明亮，還集結了一群年輕人。總之，對這些年輕人來說，睡眠時間象徵著不存在的時間。

為什麼沒有睡覺的時間呢？是覺得睡覺時間很浪費嗎？這是因為我們已經把無意識從人生中剔除了，同時也證明我們以意識為中心。

因此年輕人總是想要保持清醒。說得極端一點，就是要睡到最後一刻，然後累到躺下就直接睡著。所以每天都熬夜。到了早上，又因為有工作而不得不起床出門。

熟睡的學生

或許正因如此，最近兩、三年來我看見在大學生之中有一個非常明顯的現象。我去上早上第一堂課的時候，已經有些學生趴在桌子上睡著了。放著他們不管，結果講了一個半小時他們還在睡，一次都沒醒來過。

這很難理解。如果是因為聽我講課很無聊才睡著的話，雖然有點遺憾，至少我還可以理解。

但他們是從頭到尾都在睡。故意早上第一堂課來學校，結果卻只顧著睡覺。

當然，也有可能是他們無心向學所以才不聽課。對他們來說，重要的不是上課，而是能不能和朋友玩在一起。這才是他們興趣的核心。朋友睡了沒事可做，只好玩玩遊戲、用手機傳傳訊息，不知不覺又到了深夜，接下來去便利商店買個東西，一邊看深夜節目一邊吃……如此反覆。

我們很容易將原因歸咎於年輕人被寵壞了。然而，最根本的原因恐怕在於，他們意識到的只有自己清醒的時候可以做什麼。

三分之一的你：無意識

無意識跟自然一樣，被排除在屬於大腦化社會的都市之外。與此相似，無意識也漸漸被排除在都市人的大腦之外。但人類有三分之一的時間都在睡覺，所以，自我至少有三分之一是無意識的。我們對於這個占有人生三分之一的部分，難道能不認真思考嗎？

即便是在無意識的狀態，身體也會正常活動。心臟不停跳動，基因複製不斷讓細胞增加，生理機能持續運轉。

這也是人生當中的一部份。不過，現代人恐怕連作夢也想不到這就是自己的人生，而認為這只是單純的睡覺休息，所以將它排除在人生之外。實際上，這就是讓剩餘醒著的時間變得不正常的原因。

人們都安逸地相信，只有意識連續的世界才算數，睡前的自己與睡醒後的自己是連續的同一個人，而且對此深信不疑。

當然，「讓我們意識到無意識吧」是矛盾的，也是不可能的。但至少我們應該認知到，人生有一個部分稱為無意識，並以這種態度在意識之中提醒自己。

左右腦大不同

右腦與左腦分離的患者，似乎象徵性地表現出現代人的無意識狀態。患者的左腦與右腦會進行完全相反的事情。像是當左腦想脫下襪子，右腦卻想將襪子穿上。

從旁觀看，患者的右手想脫下襪子，但這時左手卻按住了。右腦的意識不知道為什麼要脫襪子。而患者本人並不知道自己的左手正在無意識下妨礙著自己的動作。

事實上，每一個人都有類似的狀況。例如我們在迷惘、煩惱的時候就會進入這種狀態。我們的心中還有另一個無意識的自己，而且它往往站在與意識相反的立場。

所以，人類有煩惱也是理所當然的，只要活著就有煩惱。不過，我們依舊認為煩惱、茫然的一切都是不好的，想要強行消除煩惱，結果因為渴求一個絕對確定的答案，於是將科學或者宗教視為絕對。

顛倒錯置的現代社會

我們生活在大腦化社會中，卻少了這種自覺。在不知不覺間，忘記了身體，也忘記了無意識，並且在沒有意識到共同體的情況下就讓它崩壞。我們也以為這種狀態自古至今都一樣，理所當然。

奧姆真理教、外務省之類的官僚現象，很多問題的根源不就在這裡嗎？探討個別社會問題的原因雖然也很必要，但我們歸根究柢，卻沒有討論產生這種種問題的根源是什麼。

這種退化逆轉恐怕全世界都正在發生，而不僅僅限於日本或歐美國家。隨著都市化的發展，各種顛倒錯置的現象紛起。原因正是從日本六〇年代學運時期開始的全球都市化。仰賴石油能源的人類文明蔓延擴張，都市沒有能源就無法生存，而能源的形式就是廉價的石油，因此世界各地都引發了都市化效應。

都市化帶來的最大影響，就是原本應該在十多歲就進入職場的年輕人，沒有開始就業而有時間在大學玩樂。這就是日本當時學運的根本原因。也是在這個時候，年輕的人類第一次有了閒暇時間。

在過去「不工作就沒飯吃」是大前提，但現在卻變成「不工作也有飯吃」。

遊民就是這個前提的典型案例。只有都市才會出現遊民。他們被眾人否定，甚至被蔑視。

但仔細想想，遊民的生活正是我們小時候渴望的理想狀態。因為他們擁有「不用工作就有飯吃」的身分。

為什麼戰後的日本人拼了命在工作呢？因為他們想達到「不用工作就有飯吃」的狀態。不過，戰後之後五十年的今天，電視上卻出現了「失業問題嚴重」的報導——即便這時大家都有飯吃，也餓不死。

退一步思考，這不就像是漫畫裡的情節嗎？人們為了達到「不用工作就有飯吃」的理想狀態，所以拼了命地工作。由於這份辛勤努力，經濟有所成長，社會也逐漸變得效率化了。

連遊民也餓不死的富足社會實現了。但到這個時候，我們卻開始抱怨失業率攀升，這真是莫名其妙。

如果失業的人會餓死，那確實是個問題，但事實是遊民們的生活備受滋潤，聽說有些遊民還不小心得到糖尿病。

人們的記性總是不好。在戰前的日本人眼中，現在到處都是令人羨慕的人，可以睡在公園或橋下，不用工作就有飯吃。我還記得當時「不工作也有飯吃」是大家默認的理想狀態，人人羨慕「不用工作就有飯吃」的大富翁，但那個時代已經恍如隔世。

我認為，各種「顛倒錯置」現象衍生的可笑之處，在遊民身上似乎有所體現。

第六章

傻瓜的大腦

記憶力天才可能是社交白癡，
殺人犯也可能是商業天才……
既然每一顆大腦都差不多，
那為何會有這些差異呢？聽聽科學怎麼說。

傻瓜腦與天才腦

聰明人與傻瓜的大腦一樣嗎？外觀上並無二致，但超越一定範圍的案例當然不在此限。如前所述，黑猩猩的大腦比人類的小。不過人類也有大腦只有正常三分之一的案例（約四百五十克），這就是小頭症，會造成大腦功能問題。相反地，有紀錄顯示一名智能障礙者的大腦容量高達兩千公克。除了上述的極端案例，聰不聰明其實與腦袋的大小沒有關聯。

民間也常流傳一種說法，說大腦的褶皺越多就越聰明，實際上這也不會影響。大腦為什麼有褶皺？是為了要將更多大腦組織塞進容量有限的頭蓋骨中，所以只好用皺巴巴的方式縮小體積，因此產生皺摺。

這就像是要把報紙捲成一團才可以塞進小箱子裡一樣。如果只看褶皺數量，那海豚大腦的褶皺比人類的還多，所以褶皺的數量與聰明程度並沒有關係。

那麼，如何衡量一個人聰明與否呢？最終這個問題只能用社會的適應性來衡量，例如語言程度好的人，一般會被社會認為「很聰明」，但又無法具體算出這個人是大腦的哪一個部分聰明。要找到一個客觀而科學的標準極為困難，而且，就算強行用所謂客觀的標準來衡量也沒有意義。我們可以預見，最後大概只會得出不符合常理的荒唐結論。

記憶的天才

舉例來說，「記憶力」就是一種容易客觀測量的能力。但世界上最「聰明」的人，卻未必能在機械性的記憶力測試中得到第一名。

記憶力最突出的那些人，其實是最不能適應社會生活的人。能在短時間內把一百位數全部倍下來的人，在現實中是存在的，但這種人卻被歸類在社會生活適應不良的族群。

《雨人》這部電影中，由達斯汀・霍夫曼（Dustin Lee Hoffman）飾演的主角就是如此。電影中的雨人擁有驚人的記憶力，能瞬間記住賭場牌桌上所有撲克牌順序與位置，但他的現實生活，卻是事事都要依賴弟弟照顧，否則根本什麼都做不了。

蘇聯知名的心理學家魯利亞（Alexander Luria）寫過一本書，詳細介紹了一名患者。那名患者把十年前背過的一百位數的數字倒著唸出來。他的記憶力確實超乎常人，如果只從這點來看，他應該是一個腦袋相當優秀的人，但實際上，他也是一個不適應社會生活的人。

我們在日常生活中也經常可以看到，在某方面能力超群的人，在其他方面卻有所欠缺。大腦也是如此。

海豚的視力幾乎為零，取而代之的是發達超群的聽力。蝙蝠也一樣，雖然眼睛退化了，卻演化成只憑聽力就能在鋼絲之間穿梭飛行。狗的嗅覺也是一樣。

因此，我們無法只憑一種特殊領域的優秀表現，就斷言一個人「聰明」與否。這樣思考，就會發現要找到某種能測量大腦優劣的方式，是非常困難的事情。

社會公認的聰明，是在多數情況下都能找到平衡，在各式各樣的局面下都能適應社會。反之，在某一領域表現出色的天才在社會上卻是個麻煩人物，這種狀況屢見不鮮。

大腦的模型

就算剖開大腦也無法解開前文提到的特殊能力之謎。剖開大腦這種禁忌的研究方法本身是原因之一，而最大的問題在於，大腦具有高度的同質性。

大腦並不是因人而異的。構成大腦的基本上就是神經細胞、神經膠細胞與血管。神經細胞是體積非常大的細胞。

蛋也是非常大的細胞，但這種大型細胞不擅長獲取營養或獨自生存，所以周圍也會附著許多輔助細胞。神經膠細胞與大腦功能沒有直接關係，最主要的工作就是維持神經細胞的生命。

神經細胞與神經膠細胞的集合體構成了大腦的雛形，裡面還有其他必要的血管。大腦的組成就是這麼簡單。別以為大腦很複雜，以身體組織的角度來看，大腦其實非常單純。

大腦很容易讓人產生「既然思考那麼複雜，過程一定非常困難」的錯覺，事實卻不是如此。但如此單純的構造居然可以讓人產生意識，這就有些奇怪了。

神經網路

如果我只是說「簡單」那可能不足採信，但實際上，關於大腦結構、神經細胞功能都可以用「神經網路」（neural net）的模型來概括說明。這個模型本身的結構也非常簡單。我來說明一下。雖然簡單，但還是具有相當專業性的，所以自認「理科我不行」的讀者，不妨先跳過這三個小節（直接到本章〈心算的原理〉）。

大腦中的神經細胞是如何運作的？神經細胞本身只有興奮狀態與非興奮狀態。只有這兩種。其興奮的時間非常短，一般發生在十毫秒以內，在這極短的時間內興奮就會結束。

這種興奮的訊號會以每秒兩百至三百公尺的速度在纖維內傳遞，幾乎等同音速，並刺激下一個細胞。下一個細胞可以同時接收來自多個細胞的刺激，而不只會受到單一細胞的刺激。

例如，某一個神經細胞可能同時接收到了一千個其他細胞的刺激。然後，該細胞會加總所有訊號，而當刺激訊號超過某一閾值的時候，它就會透過突觸來做出反應。神經突觸是神經細胞與神經細胞之間彼此接觸的部分。

每一個神經細胞都有一千到一萬個突觸。神經突觸又分為興奮性與抑制性兩種，所以不單只有興奮功能，有時也會發揮抑制作用。

用來模擬神經細胞的傳導行為的電腦系統，就叫作「人工神經網路」。用圖示說明的話，1到n組成的數列代表上下排列的神經細胞，而數列又會彼此並排。請參考圖二。

當刺激發生，縱向的數列將會影響相鄰的數列。例如說，當最右端a數列的1產生反應時，會將訊號傳遞至b列的1至n，不會這時會乘上一個特定係數。譬如說a1的反應為1，傳遞到b列時卻只有0.1。接下來b列的反應又會繼續傳到c列。

若b的1至n接收到的刺激，只要超過一定閾值就會有所反應，再往下一列c列中的1至n傳遞訊號，依此類推。傳遞到c列後，若c列細胞所接收到的刺激總和又超過一定閾值，此列的神經細胞就會一樣觸發反應，否則無反應。

圖二

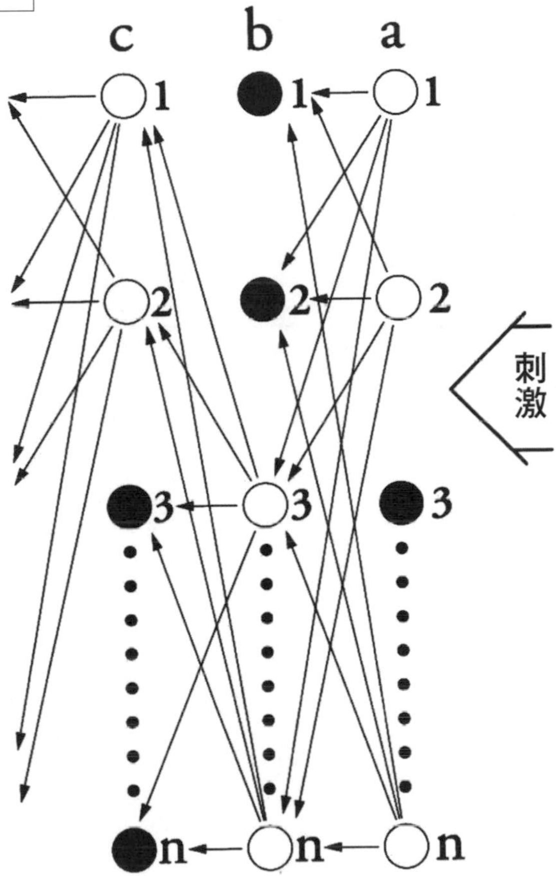

○＝因為刺激超過閾值而做出反應的細胞

●＝刺激沒有超過閾值，所以沒有反應的細胞簡單來說，神經網路的構造就如同上述。

但如此單純的模型，就已經足以說明大腦。如果讀者到這裡還是覺得「太複雜了，聽不懂」，那你只要記得，照著這個模型就能解釋大腦運作，且人類的反應會依據神經細胞反應與否發生變化，這樣就差不多了。

總而言之，只要調整這個刺激給予神經細胞的能量，就能大致重現大腦運作時的反應。

舉例來說，人工神經網路閱讀文字時的方法，並不是單純機械式地讀取文字並做出反應，而是會讓自己學習，從而發展出閱讀的能力。當機器做出錯誤反應時，人類會予以糾正，告訴它「這樣不對喔」。

目前我們知道，神經網路的學習曲線與兒童認字的學習曲線幾乎相同。兒童在完完全全記住單字之前的學習曲線，並不是直線朝右上方成長，其特徵是先在中途下降，而後才回升。令人驚訝的是，人工神經網路的學習曲線也是如此，先下降，後上升。彷彿完全再現了人腦運作的模型。

意外遲鈍的腦神經

讓我們回到人類的大腦。神經細胞的興奮反應會在約千分之一秒結束，然後恢復到原本的狀態。神經細胞的興奮速度與大腦的思考速度完全沒有關係，決定速度的單純是化學作用。

如前所述，刺激訊號在神經纖維中傳遞的速度相當於音速。研究出這個速度的科學家亥姆霍茲（Hermann Von Helmholtz）有一段軼聞。

他有一次寫信告訴父親自己的研究結果，父親卻在回信中寫道：「原來神經傳導的速度那麼慢啊。」他父親可能以為神經的速度應該要和光速差不多。但實際上，我們就是用這種意外緩慢的速度在進行思考。

說音速很「慢」，這可能會讓人有點困惑。畢竟以日常生活中的感覺來說，音速應該無疑是非常快的速度了。

不過，請想像一下聽見聲音時的情境吧。當你聽見一個聲音，你可以馬上分辨聲音是從右邊或左邊傳來的，並做出反應。

以這個例子來看，說神經傳達的速度約為音速是事實，那多少會有些不可思議。為什麼？因為假如右側有聲音，聲音進入右耳與左耳的時間會有極小的差異。音速約為每秒三百四十公尺，右耳與左耳則相距約十至二十公分，可以算出誤差大約是三千分之一秒。

這個資訊透過突觸傳達到發生反應，會需要數毫秒，因為神經突觸反應時會釋出化學物質，而從接受刺激到釋出反應，需要的時間就是這麼多。

換句話說，我們要發現左耳與右耳之間的「落差」，反應時間要多出至少十倍以上。對比神經纖維傳遞刺激的速度，這簡直奇慢無比。

大腦如何瞬間判斷聲音方向

問題來了，這個反應如此遲鈍的機器，是如何在瞬間分辨出聲音的方向？我們的大腦如何在一瞬間就知道聲音從哪邊來？

為了簡單說明這個機制，請先想像一條右耳與左耳之間的神經細胞線。我們假設這條線上有九十九個神經細胞排成一條線。

從離右耳最近的細胞開始編號，分別是1、2、3……最後的99號是離左耳最近的細胞。當聲音的刺激分別進入左耳與右耳，從右耳進入的刺激會從1往99的方向傳遞，左耳則是99往1傳遞。左右傳遞的速度完全相同。

從右側發出的聲音，自然會先進入右耳，並從1開始傳向99。此時，相同的聲音稍後也會進入左耳，並由99傳向1。由於傳遞的速度相同，所以左右都受到刺激的地方，也就是刺激交會的地點，約就在正中央的50號細胞。

實際上，我們就是用這個交會點來判斷聲音的位置。也就是說，如果左右刺激的交會點在50號細胞之後，那聲音就是由右側進入，反之，如果交會點在50號之前、49之後，則表示聲音先進入左耳，即聲音由左側發出。如果你站在立體音響的正中央，聲音從正中央發出，交會點就會正好落在50號神經細胞。

在神經的傳導速度上，雖然訊號以音速在突觸纖維中傳遞，但之後的突觸反應需要花上更多時間。這些速度都取決於化學反應，所以沒有個體差異。

心算的原理

目前人類對於大腦結構、大腦反應速度的理解，基本上如前所述。總而言之，大腦外觀與功能在個體之間其實沒有什麼差別。既然如此，為什麼會有腦袋靈光、反應迅速的人呢？其中的機制又該如何解釋？

前面說過，一般社會上所認定的腦袋，與社會適應性有很大的關係，所以也很難寫出如何判斷。第二章提到的「y＝ax」的a值是否恰當，或許可以說明，但得出的評論也未必科學而客觀。好比我們無法用科學來評斷，在喪禮上要哭還是要笑才正確，也無法以科學評斷芥川龍之介與兒童的作文哪一個比較好。

不過，看似可以具體測量的心算速度呢？事實上這不如想像中的簡單。為什麼？因為就算是同樣的心算題目，不同的人也可能使用不同的大腦部位。

我國中時曾在校內的心算比賽贏得冠軍，當時決賽的對手是練過算盤的人。正如大家所知，有受過訓練的人在心算時腦海中會浮現算盤，也就是說，他們使用了大腦中的視覺部分。

至於我因為不擅長算盤，所以就是很一般地在腦中進行計算。所以，心算的題目雖然都一樣，但使用的大腦部位卻不一樣。比賽可以用結果來決定優劣，卻無法評斷何種大腦的運作方式更為傑出。

物理學家費曼（Richard Feynman）的書中也曾出現類似的例子。費曼可以一邊看書一邊「一秒、兩秒、三秒……」讀出時間，而可以精準計算。

有個朋友聽聞此事，就告訴費曼：「我沒辦法邊看書邊計時，但我可以邊聊天邊計時。」費曼以為朋友在說謊，沒想到卻真的可以，於是他問朋友：「你怎麼做到的？」朋友回答：「我計時的方式，有點像是在腦海中翻日曆。」

也就是說，這位朋友和算盤高手一樣，都是使用視覺的方法來計算。而費曼在腦中數的是一般的數字，所以沒辦法邊說話邊計時。

鈴木一朗的祕密

我們先不管抽象的「聰明程度」，來想想可以客觀測量的「運動能力」如何？運動無疑也是大腦的一種輸出，所以從某個意義上，這也能算是一種訊號處理能力。

我們來思考為什麼鈴木一朗可以展現出遠遠超乎凡人的「反應速度」。

看見投手將球投出並移動四肢的行為，就是大腦在接受視覺刺激之後，發出活動肌肉的指令。這個行為在大腦中是需要一定「速度」的。那麼這種類型的「天才」在大腦功能上，到底與一般人有何不同？

這種人與一般人無異，使用相同的路徑，也就是依賴神經細胞與神經細胞之間的訊息傳達，照理來說反應也應該要相同。那他們為什麼又可以比其他人「快」呢？

這樣一來，我們可以假定這種人可能跳過了部分的突觸。訊號進入感知神經細胞並傳遞至運動神經細胞之前，經過越多突觸，反應就會越慢。運動天才之所以反應這麼快，就是因為在中途省略了一部份的突觸。

一般情況下的傳遞路徑是A↓B↓C↓D，但他們卻可能跳過B與C，變成A↓D。原本不應相互連接的地方，這些人卻產生了連結。

運動天才就是能做到這件事的人。看看鈴木一朗與松井秀喜的動作，根本無法不這樣解釋。此外，這種讓大腦某一部分進行「跳躍」的能力，我認為有一定比例是先天的。

大腦在運動時往往會處於抑制的狀態。雖然沒有事實根據，但常聽到這種說法：活潑好動的小學生成績一般不會太好，成績好的小孩大多不擅長運動。

所謂「思考」，是大腦皮質中的各種刺激參雜在一起，這與運動的速度是兩回事。也就是說，大腦運作的方式決定了對不同運動的適合程度差異。

如果打者是任何事都需要深思熟慮，看著棒球從投手手上投出，心想「這個球是外角曲球，因此要朝右順勢打擊才能提高命中率」，那他絕對不可能打到球。

但應該不用我說讀者也知道，這並不是要斷定哪一種方式聰明。像是運動能力超群的長嶋茂雄，如果大腦真有部分受損的話，絕對不可能成為如此有名的棒球選手。他們與常人不同的只有極小的部分，在這極其微妙的差異上取得平衡。不過長嶋茂雄與眾不同的語感，或許真的是因為他出色的運動能力導致的神經突觸跳躍有關。

不僅是長嶋茂雄，語言能力失常卻擁有非凡才能的案例實際上並不少見。這與之前談到記憶力時所舉的例子一樣道理。天才的大腦可能會有一部分特別發達，卻又有點欠缺某個部分。

不過嚴格來看，即便同樣都用運動來測量運動能力，長嶋茂雄與鈴木一朗也極有可能用的是不同的大腦部位。例如一人用視力，一人則用聽力。無論如何，只有A↓D的「跳躍」可能確實發生，其他的都只能語帶保留。

畢卡索看到什麼？

所謂的天才，簡單來說就是省略了A到D的過程，而且可能欠缺某一部份能力的人。在藝術領域，畢卡索就是個很好的例子。第一眼看到畢卡索的畫，可能會覺得亂七八糟，但細看就會發現，這些畫果然不是凡人畫的，而是出自天才之手。

東京女子醫學大學的岩田誠教授曾對畢卡索的畫進行了有趣的分析。畢卡索在立體主義（Cubism）時代的作品，常常出現混亂的空間感。臉朝正中央但鼻子卻面向側邊，難免會讓人覺得亂七八糟。

不過，畫中的物件如果一個一個對照素描，其實都是準確無誤的。也就是說，畢卡索是以不同角度來描繪人或物，再將物件雜亂地組合起來。

通常，素描所需要的空間感，屬於最重要的四種視覺功能之一。如果失去這種能力，那麼我們眼中的世界就會變得像畢卡索的立體主義畫作一樣。當然，畢卡索自己過著普通的日常生活，正如大家所知，他早期的畫作也十分正統易懂。那麼他到底如何畫出立體主義的畫？

當然不是請模特兒看向不同方向，分別素描之後再組裝起來。畢卡索可能是在作畫時，下意識將正常的空間感關閉。畢卡索是有意識地這樣做。有的人在患病之後會喪失某些能力，結果可以畫出那種畢卡索的畫。但畢卡索本身明明很健康，卻可以有目的性地畫出那種畫。

畢卡索大概非常善於控制自己的視角，而一般人無法所心所欲地控制自己腦袋中的蘋果樣貌。

就算要想像一幅空間感混亂的畫，一般人也無法隨意將腦中特定的功能關閉。當然，當訊號進入了雙眼，大腦就會自動形成一個正常的畫面。但如果可以巧妙地壓抑這種功能，讓它砰一聲消失，就有辦法畫出立體主義般的畫。畢卡索根據經驗精湛地完成了這項任務，可謂是非常強大的能力。

操縱大腦

這種天才人物可以操縱自己的大腦。不過，其實像我們這樣非天才的人類，也是在透過各種方式操縱大腦，只是我們操縱的是所謂的意志層面。

例如，「因為有害健康，所以開始戒菸」之類的行為。而畢卡索這類的天才，卻能在大腦中自由改變一般人無法改變的空間感，並將這種能力透過繪畫表現出來。

據說足球選手中田英壽先生，就算一邊開車一邊看其他地方，還是可以注意到車子前方。他的空間認知能力大概也與一般人不同。

在他腦中，搞不好可以一邊開車一邊俯瞰四周。只需要看一眼，大腦便能立即構成俯視圖，顯示這輛車從正上方看的位置、前進速度等等。若能掌握這些資訊，當然看向一旁也不會發生車禍。

這也是與異於常人的空間能力的其中一種吧。

各式各樣的「天才」大腦，在外觀上與我們沒有任何不同。關於運動能力與藝術家的天賦，雖有各式各樣的假說，卻都不能在物理構造上找出差異。更何況，就算剖開大腦也無法得知「學業成績」或是「IQ高低」。

一個人聰明程度與大腦的關聯，是經常會討論到的問題，但標準卻很難界定。此外，由於大腦本身有同質性，實際上很難透過外觀或者功能來判定誰是「聰明人」而誰又是「傻瓜」。

理智斷線的腦

要用大腦來判斷一個人聰明與否非常困難，但另一個現代問題——腦的「理智斷線」現象，實際上已經有很多實驗都得出結論。結論就是，如果大腦的額葉功能低下，就會使抑制行為的能力失效。

教育相關的研究留下了許多數據，事實再清楚不過。最容易理解的例子，是信州大學教育學系進行多年的一項實驗。

簡單描述實驗：首先，在孩童面前擺放紅燈與黃燈，並請他們將雙手放在按鈕上。當紅燈亮起時不用動作，黃燈亮起時則要按下按鈕。此時沒有要求比賽速度，孩童只要能依據指示反應，動作慢也沒關係。

但是，孩童都會不由自主地想要玩手邊的東西。顯然按紅燈的按鈕是錯誤的。該實驗測量孩童們的錯誤率，看看他們能遵守正確指令到什麼程度。

理所當然，在小學生當中，高年級生的正確率會高於低年級生。但結果發現，大約三十年前的低年級生的正確率，幾乎等同於現在高年級生的正確率。說得白話一點，孩童的發育在這三十年間遲緩了四到五年。

這個實驗的重點在於「抑制」。當錯誤的燈（也就是紅燈）亮起時，孩童們必須忍耐。此時，血液會聚集在額葉的位置，代表孩童的額葉正在作用，讓他們可以忍住不按下按鈕。

由於這個實驗不是要比誰按得快，所以只要忍住不隨便按，耐心判斷就可以做得正確。這樣一來，其實只要在燈亮起時，動動腦袋，確認「是黃燈所以要按下按鈕」就好了。

但有些孩童卻無法忍耐，結果不知不覺就按壓按鈕。該實驗顯示出，這種忍耐能力的發育居然在三十年間延遲了四至五年。

另一個實驗中，身兼心理師的明治大學教授三澤直子比較了一九八一年與一九九七的實驗。該實驗會讓孩童把「人」、「樹木」與「房子」三個圖案畫在一起。同樣主題的畫作，在這相隔十六年的兩次實驗中，卻出現了相當大的傾向差異。[11]

例如，在過去孩童的畫中，這三個圖案都會有一個故事或是主題。也就是房子裡面住人，而房子外面有樹，這種理所當然的構圖。當然，畫中的平衡也是符合現實的，房子與樹木會比人還要大。

不過，現在的孩童，即便是小學生畫出的三個圖案也相當失衡，像是把房子畫得非常非常小。此外，也可以觀察到許多具有攻擊性特徵的畫作，這與過去孩童的差異極度明顯。許多人認為這與額葉的功能有關。

11作者注：詳見三澤直子《畫出殺意的孩子們》（殺意をえがく子どもたち）。

連續殺人犯與一時衝動的殺人犯

大腦失控的問題不只出現在日本。根據美國的一項研究結果顯示，衝動殺人犯的大腦有額葉功能衰弱的現象。也就是說，衝動殺人犯是大腦抑制作用失常、無法忍耐的人。

相反地，連續殺人犯的額葉功能卻沒有下降。仔細想想，他們可以在不被警方逮捕的情況下連續犯案，判斷能力一定是正常的。

那麼，連續殺人犯與正常人又有什麼不同呢？不同的地方在於，他們腦中與判斷善惡相關的杏仁核部分功能異常活躍。

用汽車來解說，杏仁核對於社會活動來說就像是油門，而額葉則相當於煞車。衝動殺人犯因為無法踩煞車，也就是額葉未能發揮作用犯罪；相反地，連續殺人犯則是油門踩過頭，即杏仁核功能過於活躍而犯罪。

順帶一提，發表此研究的學者出生於倫敦，結果因為「倫敦殺人犯實在太少了」而移居洛杉磯。他也對自己的大腦進行分析，然後發現「原來我的類型是連續殺人犯」。

該學者對於犯罪的強烈的興趣，或許正源於杏仁核的活力。只是好在這份活力被導向了研究，使他成為一位充滿熱情的學者；如果他不小心誤入歧途，說不定真的可能成為連續殺人犯。

綜上所述，用電腦斷層掃描等科學技術來研究人類的大腦有其必要，應該會有很多發現，而不只是研究犯罪者而已。但另一方面，這種研究也有危險的一面。應該說，會被認為是對社會有危險性的行為。

舉一個讀者容易想像的例子：如果調查犯罪者的大腦，認定其中有某種畸形或異常，那就會產生「要如何對待這名罪犯」的問題。連續殺害女童的宮崎勤曾接受過三次精神鑑定，但當時如果能給他做個電腦斷層掃描，或許就可以了解更多事。

然而，司法當局與檢察官都十分排斥這種作法。因為這種案子的審判，不過是將犯人推向死刑的劇本。審判進行得沒完沒了，到頭來更像是一種儀式。如果中途出現了電腦斷層掃描等資料，恐怕會讓犯人有精神失常的理由，還可能擺脫刑責，因此檢察官才會反對。

我們應該研究罪犯的大腦嗎？

照理來說，無論法律審理的結果如何，都應該要保留犯人大腦的一些數據，才能多加研究。針對這類型的罪犯，我認為應當強制進行大腦檢查，就算以法律直接規定也無妨。我並不是支持「此人因為大腦有特殊狀況，因此殺人是迫不得已，應當無罪」。

掌握犯罪者大腦相關的科學數據，這件事情本身對社會是有益的。在此並不是要討論責任行為能力等等，我認為，對於「反社會行為」，我們應該在社會上達成一種收集其大腦數據的共識。事實上，犯罪者至少都會被強制要求記錄指紋。

那麼收集來的人腦數據要怎麼使用呢？例如，可以用來觀察沒有前科的年輕人大腦。當然，這不是為了預防危險而先行逮捕他們，而是如果知道他們的大腦類型，就可以進行與之相應的教育。

我們雖然不確定宮崎勤這種罪犯未來還會不會出現，但可能性是存在的。若有數據可以參考，就能針對擁有同類大腦的人進行警告或者再教育，硬要說的話，至少還能多留意這些人。

這種做法想必會引發各式各樣的問題，也會受到批評。像是這種情況，就職測驗時因為大腦的測量結果而遭到淘汰，這樣可能會有糾紛。

但就算可能發生這種問題，也不應該早早就斷定完全不可行。現實世界中，其實也有各式各樣依據身體能力所施行的限制。例如，在色盲而導致「完全無法分辨紅燈與綠燈」的狀況下，就難以取得駕照。大腦沒有理由應該被差別待遇。

因此，我認為對犯罪者、反社會行為者進行大腦研究有其必要，而對這個議題的討論也非常重要。

姑且不論是否真的要進行這種研究，「可以討論」本身就已經是健全的象徵。不過，現在對於相關議題的討論卻像是歧視用語一樣，形同禁忌。在歐美國家，也衍生出對大腦進行這類研究時，該如何處理人類的自由意志等問題。

阿宅的大腦

那麼近年受到廣泛討論的，為什麼會有很多無精打采的兒童呢？一方面可能是所有對應輸入訊號的係數a均為零，但不僅如此。與理智斷線的大腦一樣，問題就出在額葉。

訊號在輸入大腦而後輸出時，造成的刺激會在大腦中往復一次。也就是說，輸入的是進入自己的訊號，而輸出的是由自己發出的訊號。而大腦，正是訊號的折返點。

具體而言，大腦中的折返點就在於額葉。來自眼睛、耳朵的輸入訊號等知覺，基本上最後都會集中在額葉。接著再從額葉往後方傳遞，最後從大腦正中央輸出。正中央聽起來好像很含糊，但簡單來說，就在中央溝槽的附近。其前方即為運動區，訊號最終會到達肌肉而輸出。

如此一來，訊號便會在額葉折返，依序處理前後訊號，最後用具體的運動來輸出。

我們所謂的「意志力」，或者說白話一點的「幹勁」——在這方面有問題的人，就是折返點（額葉）出了差錯。當一個人的額葉功能低下時，便會呈現出無精打采的樣子。

因此，與理智斷線的大腦相同，無精打采就是額葉功能低下所造成。這時大腦連理智斷裂都不會了，也就是訊號停止在大腦中折返。此時的輸入訊號被歸零了。

一般人容易誤解的是，「御宅族」其實是另一種。兩種類型的人都有「喜歡宅在家」的共通點，所以常被混淆，但性質其實完全不同。

為什麼呢？因為御宅族對於特定事物所展現出的興趣（也就是輸出）非常強烈。他們對於特定事物的a值，是非常大的正數。不過，能讓御宅族產生正向反應的刺激種類卻非常有限。

如果是他們喜歡的動畫或漫畫的相關訊息，a可能會達到100甚至是200。當然也有很多喜愛漫畫的人，但係數可能只會落在10或20左右，由此可見感興趣的程度或反應完全不同。

相對地，一般人看見漂亮女性時的反應可能是100或200，但御宅族可能卻是0或者個位數。這一種係數偏向極端的人，就是被稱為「阿宅」的人，但他們的狀況並不特殊，因為很多我們所謂的專家，也都是這種類型的人。

第七章

教育的詭異之處

高等教育讓學生的腦袋裝滿知識，
但有知識就不會做錯事嗎？
關於教育的意義，東大教授怎麼看？

虛假的自然教育

很多時候，我們都對學生，甚至是對教育這一行為感到絕望。無論在東大或其他地方都一樣。我深深體悟到，如果要好好教育年輕人的話，首先要從理所當然的事情開始教導，讓他們了解其他人，如同第三章所述。

我並不是鼓勵加強道德教育，而是因為這與學問之間的本質有關。很多事情，如果沒有把一般人做的事都身體力行，那就無法真正理解。

「結婚之後會怎樣呢？」這種疑問其實也不無道理。但只能請提問者親自嘗試一次，畢竟只聽不做根本沒有用。

或許一切都源自於教育上的阻塞吧。近年來，學校積極提倡「寬鬆教育」[12]、「自然教育」等等。乍看之下，這些行動似乎都與前面所討論的「身體」、「無意識」、「自然覺醒」有關。

但事實上根本一點意義都沒有，還讓教育變得頭重腳輕。例如現在的小學，打著自然學習的名號把學生帶到鄉下去，但實際上卻是本末倒置。

我知道有一所幼稚園跟番薯農場簽約，每年都會帶孩子們到去那裡挖番薯。有一天，我去農場一看，發現旁邊也有一片番薯田，但那裡的植物葉子全都枯萎了。於是我便問那邊的農家：「那種的是什麼？」

他說：「跟這裡一樣，都是要給幼稚園挖番薯用的。」

「但那邊的葉子都枯萎了。怎麼會這樣？」

「為了要讓小孩好挖，所以那邊的番薯都是先挖出來又埋回去的。葉子才會看起來這麼沒精神。」

這是詐欺。那裡哪有什麼自然，不過是人為製造的環境，跟迪士尼樂園或其他主題樂園是一樣的。

很多人卻認為這並不奇怪，而且很正確。而其中也有從事教育的人，甚

---

12 相對於考試教育，寬鬆教育是將授課時間與內容縮減的教育辦法。

至拿這種東西擺起架子，主張這就是「自然教育」。認為自己正確的傻瓜才最麻煩，這是個好例子。總之，這種教育沒有任何意義。

草包老師[13]

身處教育現場的老師們，為了不做出極端行為，最後陷入了什麼都不做的狀態。事實上，特別嚴格的老師，雖然一開始會被學生討厭，但最後還是會被感謝。就算方法錯誤，至少可以成為負面教材。但最近，這種嚴格的老師卻漸漸消失，因為比起做錯事而被教育委員會或家長會指責，不如什麼都不做。

老師們已經沒有那種當負面教材也好、被學生討厭也好的信念了。為什麼會這樣呢？現在的教育，考量的已經不是孩子本身。老師們要看教務主任的臉色、看校長的臉色、看家長會的臉色、看教育委員會的臉色，甚至還要看當局的臉色。老師們已經不再直視孩子了。

就像常聽到的那樣，老師變成了上班族。所謂上班族，就是為了付自己薪水的人忠實工作，而非對工作本身忠實。相反地，工匠則必須對工作忠實，對自己的作品負責，否則就沒有飯吃。

但現在的老師們，卻不再意識到學生就是他們教育下的作品，而不知不覺成為了上班族。「草包老師」這個詞，諷刺的就是這些不再直視孩子們，只懂看金主臉色的老師。有工作就好、有薪水就好、「反正當老師也好」或是「只好去當老師」。

在這種社會風氣之下，現在的老師要想直視孩子、做些什麼，恐怕還會惹麻煩上身。我其實也能理解這種心情。一想到要會被家長投訴、被校長

---

13 日本在二戰之後的經濟成長期，由於教師短缺，造成門檻過低的問題。當時只想領薪水的消極老師被譏諷為草包老師（でもしか先生）。

罵、被家長會責難，誰還有辦法堅持自己的信念？因為無計可施，所以就隨便做做吧。

目前在教育現場的人主要是日本戰後嬰兒潮，這群人也被稱為「團塊世代」[14]。或許有些人會不解，這一群昔日主張解放大學並為自由奮鬥的年輕人，為何會變成這副模樣？不過，我個人倒是在六〇年代的學運時期，就完全失去對他們的信任。不出我所料，那一代人變成教師時果然造成了這種現象。

「退學」真正的意義

從戰後世代、戰後民主主義世代開始，「退學」這個詞彙就不再通用了。在從前的社會共同體中，「退學」必須以復學為前提，這是眾人默認的規則。

在過去，學生如果被勒令退學，實際上也會有兩位輔導教官，在一年內讓退學的學生接受指導，狀況不錯的話就會以「有悔改之心」之類的理由，使他復學。這是以前的退學，因為共同體不會隨便把人趕出去的。

但在戰後世代之後，這種規則不再是常態。所以那些人在學運時期（全學共鬥會議）被勒令退學時，就真的覺得回不去了。退學實際上已變得虛有其表。

關於退學，桑原武夫所著的《森外三郎傳》中有一篇很有趣的文章，我至今仍印象深刻。森外三郎是舊制三高（京都大學前身之一）的校長，也是桑原武夫的恩師。桑原武夫在大學畢業後，回到三高擔任講師。當時的校長仍是森外三郎。

昭和初期，校內有學生發起大規模罷課，最後警方介入才畫下句點。校長森外三郎於是對超過五十名學生做出退學的懲處。

14 指該世代為了改善生活而默默勞動、緊密團結，支撐著社會和經濟。

但在此之後，森外三郎校長也給退學的學生進行高中畢業考試，讓他們實際從高中畢業。森外三郎甚至還在多所大學間穿梭，懇請校方不要因為退學紀錄而避開其中成績良好的學生。也就是說，校長雖將學生退學，卻又幫忙他們。因為這是共同體應該要有的協助。

另一方面，森外三郎在那之後為了承擔責任而請辭。這也是共同體的特質之一。一方面賞罰分明，一方面又在不傷及未來的前提之下，伴其重生。

這種特質在今日的教育現場已經瀕臨崩潰。學生的未來早已不是重點，小小共同體的利益才是優先。因此「退學」如字面所示，將學生徹底放逐，而後也沒有任何援助。這跟用裁員來驅除員工的企業有幾分相似。

學學我吧！

所謂教育，原本就只有自身對生命懷抱夢想的教師才做得到。說到底，就是要跟學生說：「你們這些小鬼，學學我吧！」簡而言之，就是要學生模仿自己。只不過，人生精彩到可以讓人模仿的老師又有幾個？而他們是不是最後也只能教會學生如何當老師？

在這個意義上，教育是一種非常矛盾的行為。因此，就算無法說出「學我吧」這句話，至少也該當一個對事物有熱情，並將自己喜愛之事傳達給學生的老師吧。

我向來都只教學生們關於人的道理，而且我有信心自己教的東西都很有趣。解剖也有解剖有趣的地方，如果要我教我還是會教，但對我來說這些都是次要的。無論如何，我很清楚我只能教自己覺得有趣的東西。

在解剖學中可以學到的，是如何利用自然素材思考事物的技巧。這部分是課本上沒有寫的。所謂學問，就是將有生命的、不斷流轉的萬物化為不變的資訊。這才是真正的學問。不過近年的學生在這方面的能力非常不足。

他們反其道而行，對於資訊化的東西處理得非常好，這就像是電腦在運算。他們把資訊化的東西放入了電腦，所以都很知道要在電腦輸入什麼。

而不同於資訊，必須學習自然的前題是：人本身就是自然的一部份。但很多學生缺少了這一部份。總而言之，這樣來看醫生這個行業的話，應該只有熱愛人類、熱愛自然的人才可以從事，但現狀卻非如此。

東大醫院的研究人員戲稱臨床工作為「一年徒刑」，我們可從中略知一二。與患者接觸對他們來說是一件非常痛苦的差事。這是本末倒置。

東大的傻瓜

最讓我印象深刻的糟糕例子，是在東京大學口試時發生的。我在桌上放了兩顆頭骨，並請面試的學生說出「兩顆頭骨的不同之處」。其中一個學生靜默了一分鐘左右，然後說：「教授，這一個比較大。」結果我忍不住說：「你當這是幼稚園入園考試，在比較蘋果大小嗎？」不得不說，確實有這種學生存在。我既是驚訝，又是愕然。

對他來說，他察覺不到任何差異，這只是他勉強找出來的差異而以。顯見他完全沒有從實物出發進行思考的習慣。

答案是什麼都可以，我們問的是他對事物的看法，所以沒有數學那種標準答案。如此看來，「這個比較大」也不能算錯。但一個人親眼觀察眼前的物體之後給出這種回答，只能說是非常隨便。

例如，他可以回答「這一個頭骨比較舊」、「我認為這個是男性頭骨，另一個是女性的」，什麼都可以。每個人都是不同的個體，所以當然答案有千百種。想說多少就可以講出多少，但他卻只有「比較大」就沒了。「這一個比較大」根本就是幼稚園小朋友的程度啊。

想到這裡就覺得當老師的幹勁都沒了。這種學生如果幾年後從東大畢業，會變成了不起的醫生嗎？這責任我可扛不了。有人可能會說，是老師就好好教吧，但這種只能一對一教學才可能的荒謬要求，我真的沒辦法。

有時難免會亂想「乾脆不要管了」。而且，如果這件事發生在其他大學或許還可以原諒。我或許可以想成「原來也有這種孩子呀」。但偏偏這件事卻發生在成績要求這麼高、全日本考生都擠破頭想進入的大學裡。我不禁心想，這是否代表人類的篩選方法本身就有問題？

對眼前的屍體視而不見

正如學生看著頭蓋骨卻什麼也說不出來，這就是現代人已無法從實物中學習，而將一切轉化為虛擬的表現。也就是說，他們看不見橫臥在眼前的屍體。一般人看到一具屍體，會開始思考這是什麼，只要再稍微用一點想像力，就會發現自己有一天可能也會變成這樣。

幾乎所有人都無法忍受一直看著屍體。而政治會將這些無法忍受的東西藏起來，也就是把屍體藏起來。但如果忍耐盯著屍體看，就能知道接下來發生的事，這就是所謂的學問。

若實際將屍體放入家中的棺材裡頭，就能看到屍體慢慢地變硬、從一開始的體溫到變冷、嘴巴自然呈現張開的狀態後便難以用外力合上……等等各式各樣的發現。

對於學生來說，這種身歷其境的感覺非常重要，只感受到「這個比較大」的程度是很糟的。那表示什麼都沒看到，但當然知道哪一個比較大的人，可能也有派上用場的時候吧。

教育界的現狀就是，非常多老師聽到這種事情之後只會說：「就是會有這種學生啊。」但這對我來說卻相當嚴重：「咦？這就是我教出來的學生嗎……」猶如晴天霹靂。

近年來，這種傾向在越來越重視標準分數之後變得更加明顯，不管怎麼說，我想在我們這一代人之中，並沒有那種超脫的人格。

從前的學生都比較貼近世俗，意思是，他們覺得從實物中接收資訊是理所當然的。

我還是東大教養部的學生時，政府決定要關閉紅燈區。營業日最後一天，紅燈區要關閉的消息成為教室裡的話題。大家都在討論自己該不該去體驗一下紅燈區到底是什麼。

姑且不論好壞，會有這種好奇心非常自然。姑且不論是不是真的去買春，但至少他有過在紅燈區徘徊的體驗。那樣的世界為何會消失呢？消失的是一種對知識的好奇心，要說現代人變得沒有責任感也可以。總之，面對與自己的日常生活不同的世界並進行思考，在我們那個時代，依然是理所當然的行為。

動一動身體

正因如此，雖然以執教者的身分來說有些矛盾，但我卻經常告訴我的學生：

「與其待在地牢一般的教室，聽我這種老爺爺講道理。你們不如去外面動動身體吧。」我真心認為這樣絕對比較好。

但實際上，別說動一動，有些人從第一節課就開始睡覺。這說明意識世界已經成為了中心。

意識世界說穿了就是個屁，身體才是基礎。走過那些糟糕時代的人都知道這個道理，沒有健康的身體一切都是空談。

「餓著肚子沒辦法打仗」這句話是真理。江戶時代的武士說，「武士不吃飯也能剔牙」，這卻是因為他們生在昇平的江戶罷了。武士不吃飯可以做武士的工作嗎？答案非常清楚。因為天下太平，才會在沒意識到這點而不假思索地說出這種風涼話。

現代孩子的成長環境與我們當時的成長環境非常不同。他們一出生就有電視，而且很明顯地不再使用身體。我不是說小孩子雖然身為動物卻討厭運動，其實如果帶著他們到山裡面他們也會很好動的。小孩子本來就是放著不管也會動個不停。

我們反而可以看出，現在的孩子會窩在家裡，單純就是因為亂動、狂奔的機會被剝奪了。從大人的角度來看，待在家裡比去充滿危險的外頭更好。但待在住宅區，孩子沒有機會接觸到昆蟲，或其他任何東西。這樣一來，我認為孩子的成長就有些違背自然了。

這當然不僅限於都市小孩。可能有人會以為鄉下小孩應該就沒有這種問題，其實不然。極端一點的例子像是，我常聽說都市小孩放暑假回鄉下時，鄉下小孩才跟著他們第一次去家裡附近的小河散步。

特別難教的孩子

雖然有很多忌諱，但我認為今後必須徹底研究大腦與教育的關係。目前有兩項計畫正在進行。一項是文部科學省的「教育與大腦」，另外一項則是NHK以「兒童友善媒體」為主題的計畫。這兩項計畫都聚焦在大腦與兒童發育。

研究兒童大腦時，必須特別注意的就是研究方法。過去的研究方法是，同時調查所有的國小五年級生與一年級生。這其實是非常武斷的方法，這種方法會消除像是個性等特質。

舉例來說，就算記錄所有人的身高、體重，但每個人的發育或生長方式都不一樣，這一點是無法掌握的。我們只會得到五年級生與一年級生的平均差距。

然而，如果採用持續追蹤固定研究對象的方法，那麼如果有特殊事件發生，便能從統計上得出這件事與先前的觀察資料的關連。如果不能持續追蹤同一個對象，那就沒有這方面的意義。

日本厚生勞動省（相當於他國衛生部、福利部與勞動部的機關）使用上述的研究方法，針對誤入歧途的高中生進行追溯調查之後，發現在統計學上呈現出一種傾向。透過針對同一人、同一家庭連續數年進行問卷調查的結果發現，長大後誤入歧途的孩子，在三歲前被媽媽認為「這個小孩很難教」的機率很高。由此可知，這些誤入歧途的孩子們從那時開始就已經有親子關係的問題了。

當然只憑這個數據，我們無法判斷到底是孩子真的很難教，還是母親或親子關係有問題。所以要研究這個主題，就必須要提出更深入的問題，並研究相關原因。這種研究最困難的地方就在於，研究者一開始就必須詳細決定好評估的內容。這種研究當然非常勞心費時。

調查嬰兒的大腦

上述這類研究如果沒有以數千人為單位、或者全國性的規模來進行，就會失去意義。實際上，關於教育的問題應該用這種科學方法來研究，卻很少這樣做。而且，由於缺乏科學研究供作參考，所以只能像是外行人一樣討論。我認為政府如果有錢付文部科學省官員的薪水，不如把這個部門裁撤，將這些錢拿來資助研究計畫會對教育更加有幫助。

當然，如果深入思考這種研究也會發現更多問題。因為研究對象的時代背景都是獨一無二的。一九四五年出生的人的二十年，與一九六五年出生的人的二十年，當然不可能一樣。因此這種研究方法的結論，也可能只適用於某一時代的兒童。即便如此，我還是認為有其必要性。

不只如此，近年隨著現代科技的進步，就算不依賴最原始的問卷調查，也能用科學方法來測定。日立公司就開發出「光拓樸」技術，只要戴上類似真理教徒的那種頭罩，就可以用紅外線測出腦中血液集中的位置。這類裝置並不會造成疼痛，可以輕易檢查兒童的大腦。相較之下，要讓兒童乖乖進行電腦斷層掃描或者磁振造影等檢查就困難得多。

法國曾進行過用上述儀器監測嬰兒的實驗（日本父母似乎對這種研究較不友善），並觀察到了下列現象。就算只是嬰兒，當電視中的新聞以母語播報時，他們大腦中的血液會集中在掌管語言功能的左腦。

若將新聞倒帶播放的話又會如何？研究者發現，血液此時沒有集中的現象。也就是說，嬰兒對倒帶播放、無法構成意義的聲音沒有反應。所以人類在還沒學會單字之前，大腦便已經開始區分詞彙與無意義的聲音或語言，並給予不同反應。

第八章

超越一元論

世界上有三分之二人是一元論者，
追求某一種絕對的真理。
在這種潮流中，我們如何維持思考平衡，
發現有益於人類的「普世價值」？

效率化的終點

目前為止，我們已經討論了許多「傻瓜」以及導致思考停止等顛倒錯置的狀況；還有現代人究竟是如何在放棄思考的情況下，在自己周圍築起圍牆；也提到人們早在不知不覺間停止了思索那些最重要的問題。

但緊接著，讀者當然會有這種疑惑：「既然已經知道哪裡有問題了，那接下來該怎麼做？」我在前文借用過弗蘭克的話，提到「尋找生命意義」的必要性。

也就是說，我們必須探討這些問題：什麼樣的社會共同體是我們想望的，又什麼樣的狀態才會讓我們感到幸福？

到目前為止，人類一直在努力營造、並延續一個單調的社會。例如，過去人們想要達到不用工作就有飯吃的狀態，而這種願望成為共通的動力，讓今日的生活變得如此便利。

從前需要十戶人家才能耕作的農地，現在只需要一戶農家。其他的九戶人家照理來說可以悠遊自在。農村人口減少是理所當然的，由於效率化，那九戶人家就必須從事其他工作。機械化改變效率之後，過去需要十戶人家勞動才有的收成，現在一戶人家就能完成，甚至收成更多。如果肥料或機械再改良，收成甚至還會更好。

那麼，人們真的認真想過那些悠遊自在的人力該怎麼辦嗎？我們不斷往效率化的方向前進，至今不曾停滯。但如果工作也變得效率化，當然會有多餘的人力。

這些多餘的人力難道不能不工作嗎？如果回答「不工作也沒關係」，那又必須回答「不工作的人到底應該要做些什麼」的問題。

就像退休後的老人，每天都是星期天，沒有任何事必須做。但認為這是理想狀態的人實際上少之又少。有些人完全沒想到這些問題，說好聽點是太過天真，說難聽點是因為沒有責任感才走到這一步。綜合上述，至今還在強調效率化的人實在是令人費解。

種姓制度與工作共享

與日本等先進國家不同，印度採取了完全不效率化的策略。我用比較極端的方式來譬喻：把鉛筆弄掉的人不會自己撿鉛筆，因為有另一個負責撿鉛筆的階級。

用現代的語言來說就是「工作共享」（work sharing）。實際上種姓制度就是一種完全的工作共享，將原本一個人就能完成的工作細分，並分配給各個階級。這種工作共享的方式在印度是固定的。

當然，我並不是主張日本應該導入這種制度，但我們確實應該認真思考如何共享。也可以說是所得的再分配，但不僅如此，我們還應該對工作進行分配。

以純粹的功能主義來說，依據工作性質，一定會有非某人不可的工作。不過為了讓這個人可以完成工作，其他人給予多少程度的幫助，而這項工作帶來的收入又該如何分配，都是維持社會平衡的關鍵問題。

用哪種形式具體表現出來的社會才是理想的社會呢？我自己還有一些地方找不出答案。至少，我們在戰後想望的「不工作也有飯吃」的狀態，顯然已經不會是如今的答案了。

前文提到「不工作就有飯吃」的終極型態就是遊民。遊民的出現是否表示現代社會有某一部分跟不上時代發展？健全社會的根本相貌是每個人都有工作可以做嗎？這都是相當基本的問題，但我們必須再次發問。

充滿活力的大嬸

聊完遊民，但話題還沒結束。對家庭主婦來說，家事也比過去輕鬆許多。煮飯只需要按下開關，甚至市面上還出現不需要淘洗的米，洗衣服也變得很輕鬆。

即便如此，那些太太們還是會說「永遠都有做不完的家事」、「男人根本不懂，做家事很辛苦」。或許真是如此，過分討論搞不好還會引起家庭糾紛。但毫無疑問地，閒暇時間一定是比過去多的。

接下的問題便是：當女性有了閒暇時間，該給她們什麼新工作呢？或者說女性們會用這些時間做什麼？

仔細觀察後便會發現，家事負擔變得輕鬆了，而女性們則也是單純便悠閒了。有趣的是，無所事事的大叔會變得無精打采，但這些女性卻充滿活力。

無論如何，他們都還有要做的家事。為了這些家事，她們不得不使用身體。這就是她們與男性不同的地方。

充滿活力的大嬸經常會跟附近的人交際。我家附近的大嬸們會到鎌倉一帶散步，到高級餐廳吃午餐，一群人看著盛開的繡球花。

看見這些被稱為「大嬸」的女性充滿活力的樣子，我覺得日本似乎實現了某一程度的理想社會。現在的日本沒有戰爭，雖然經濟不景氣帶來了某些變化，但也爬上了世界第二大經濟體的寶座[15]。說到底，普通民眾的生活要被保障到什麼程度，才算得上是幸福呢？

欲望不是正義

人在什麼狀態才最幸福？這是政治最該思考的問題。事實上，學者或哲學家針對這個問題所提出的看法非常多，但這卻不太有意義。我深刻體會，學者無論如何都要探究人們對事物的理解程度，換句話說，他們的工作就是探討人類的聰明程度。與此相反，政治家們必須知道人類的愚蠢程度。

15 本書初版於二〇〇三年上市。

一般來說，我們沒辦法對自己認為聰明的人說教、佈道。如果我們不知道對方到底有多愚蠢，那就不可能進行說服，也不可能撼動對方。這樣的話，大概也就不可能成為政治家。

如上所述，學者與政治家負擔的責任性質完全相反。學者通常無法在政治上一帆風順，就是因為他們容易看錯人性、讀錯人性。

所以，柏拉圖說的那種「哲人政治」是不成立的。因為柏拉圖是學者，他總是思考著人類到底有多聰明，認為把未來交給那些聰明人就行了。

但現實並非如此。絕大多數的人們都是普通人，若無法好好看清楚普通人程度如何，就可能往錯誤的方向發展。

我之所以常常提到以前的事情，是因為過去的人都思考過這些問題。首先他們會思考欲望的問題。欲望這個東西，在現代社會中很少被嚴肅討論。不把欲望當成欲望的人非常多，甚至覺得欲望即是正義。

總而言之，人類的欲望如果是一種良善，結果就會衍生出鈴木宗男那種金權政治家。

欲望並不只是單純的性欲、食欲或對名聲的渴望，想得到任何事物的渴望都能稱之為欲望。渴求權力自然是欲望的一種，但在學問之間，這是用道理或者思想的形式展現出來。新聞媒體也是如此，在某種意義上，其中也隱含著以自我想法統整眾人意見的欲望。

這樣一想，一切事物的背後其實都潛藏著欲望。佛教當中最重要的教誨，就是要人控制各種欲望。當然我們也知道人都有欲望，如果沒有欲望，那麼人類就會滅亡——但不能放任欲望不管。

現代武器：人類欲望的實現

欲望各式各樣。例如說，食欲與性欲一旦被滿足，通常會暫時消失，這是其他動物也擁有的欲望。不過人類隨著大腦變大、變厲害，發展出了某些無法被填滿的欲望。

對金錢的欲望就是典型的例子，簡直就跟無底洞一樣，比起說是人類的本能，更像是因為沒有可以抑制其欲望的基因。因此我們對這種類型的欲望，無論如何也要找出制衡的方法。

現代戰爭某種意義上即是欲望失控的結果。探究其原因，不只是金錢或權力的欲望外顯，也是因為手段方面的欲望失控。

因為所謂戰爭，就是創造出各種新型武器，讓人類往「不用看見也能殺死對方」的方向「進化」。飛彈就是典型的這種武器，沒有士兵會特別去看爆炸的慘狀吧。不用親眼見證自己按下的按鈕會帶來怎樣的影響，也不會看到屍體。

原子彈爆炸就是典型案例。如果看過核爆一天之後的景象，讓他知道「這就是你幹的」，我想不管是誰都不會願意執行投彈了。畢竟，有數以萬計、數以十萬計的被害者就倒在眼前。

因為害怕直接面對結果，所以不斷讓武器變得間接。也就是說，武器逐漸脫離了身體。武器正是朝這個方向進化發展。人類用刀劍互相殘殺時，會有一股抑制力直接產生作用。當你刺向眼前的敵人，那種觸感會傳到手上，血會濺在你臉上，敵人會倒在你面前。

除非心理異常，否則不會得到快感。正因如此，人類才想盡可能讓武器遠離身體。隨著這種欲望的實現，武器造成的破壞規模只會越來越大。

欲望經濟

經濟領域中也有類似現象。有人為了一百萬元上吊自殺，也有人瞬間就賺進好幾億元，然後揮金如糞土。金錢越多的一方，甚至連錢都沒有碰過。就像飛彈與原子彈等武器一樣。欲望如果得不到抑制，就會逐漸脫離身體。其根本原因在於，朝著那種狀況前進的載體已經剎車失靈了。

一講到錢，人們往往會認為它是某種現實的代表物，實際上卻不然。金錢並非現實。

金錢與都市一樣，都是在大腦的產物，並與大腦的運作方式本身十分相似。大腦的其中一項特質就是，無論刺激是從眼睛、耳朵、肚子或腳進入身體，最終都會被轉換為單一的電位信號。神經細胞興奮表示在單位時間內將有多少神經衝動產生，或者單位時間內的興奮程度。

這與金錢可說是完全相同。無論是眼睛看到或耳朵聽到，一元就是一元，一百元就是一百元，訊號被轉化為單一電位訊號並相互交換，最後以某種形式出現。就像是一句話無論用眼睛看，或者用耳朵聽，都是同樣的一句話；而錢無論用什麼樣的方式獲得，錢本身都一樣的。金錢的世界就宛如大腦的世界。

某種意義上，沒有什麼比金錢更能具象化、體現進入大腦的訊號的性質。所謂金流，就是大腦中神經細胞的刺激在流動，這就是人們稱為「經濟」的東西。大腦無時無刻都在想著該如何提升這個流程的效率。而在經濟領域中，就是要想方設法來降低成本。

過去，人們存錢蓋大房子、買車等，都是金錢與實物彼此連結。雖然現代人也仍會這麼做，但大致卻漸漸游移到現實之外，只剩下訊號的交換而已。

結果，經濟的世界除了有實體經濟之外，還多了不知如何稱呼的經濟，或者應名為「虛經濟」存在。虛經濟是什麼？就是只有花錢的權力在轉移。比爾蓋茲擁有數百億美元——這句話只是表示他擁有使用數百億美元的權力。就算這項權力被轉移到其他人身上，在第三者看來也無關痛癢。因此，這種權力是否集中在個人身上，其實整體來看沒有太大不同。但這種權力交換的這一面卻被誇大其重要性。這就是虛經濟。

舉例來說，有個人對另一個人說：「你錢這麼多也沒在用，我比較需要錢，你轉給我一點吧。」如果雙方合意，即完成交易。這就構成了虛經濟。

脫離現實的「實經濟」

另一種經濟是自古以來就存在的實經濟。這應該淺顯易懂，例如物資的運送需要成本，而對這個成本需要支付金錢。不過，實體經濟最大的漏洞就在於，政府可以任意印刷鈔票。也就是說，因為鈔票不是兌換券，所以和實物的關係已經脫鉤了。也因此現代社會完全轉變為信用經濟。

岩井克人的《貨幣論》中寫道：「貨幣除了做為貨幣使用之外沒有價值。」要說錢為什麼有用呢？因為我花了一千元之後，收到錢的對方也可以當作一千元來使用。其次，接受這一千元的人依舊認為這一千元可以使用，這在「認知的結構」中是通用的。這種結構並沒有實際根據。所以換句話說，紙鈔的發行是沒有限度。只要這種「認知的結構」成立，想要要印多少都可以。

在這種狀況下，我們不得不思考的是，全世界所有政府組織（包括日本）都只將經濟統計視為唯一問題。經濟統計有一些很不健全的部分。由於可以隨意印鈔，統計本身於是成為「賞花酒經濟」。

櫻花樹下，小明跟小華一起抬著一桶酒，小明給了小華十文錢並喝了一杯酒。接著換小華給小明十文錢，又喝了一杯。酒桶裡的酒於是越來越少。小明與小華之間的金錢交易，實際上就是將統計經濟極度簡單化的譬喻。經濟運作得很平穩，但眼前的酒卻越來越少。這樣算得上是經濟的發展嗎？

如果金錢是兌換券的概念才正確，那兌換券最終的依據又是什麼？答案或許是能源。例如，將定量的石油對應到一美元，恐怕才會讓美元成為最合理的兌換券。

因為貨幣與石油儲藏量會呈比例，如果沒有石油我們就知道錢沒有用了。這種設定不僅可以用於石油，以核電廠為單位也可以。

簡單來說，都市生活（也就是經濟）如果沒有能源就無法建立。這是大前提。那麼將一單位的能源實際想成是一單位的貨幣，不就可以當作實體經濟的模型嗎？

捨棄虛經濟

由歐洲發起的歐元，指的是在各種不同的社會體制與國家中，可以使用同樣的貨幣單位。我認為，歐洲的目標實際上是要統一世界的貨幣。那麼，世界統一貨幣的標準是什麼？總不可能像江戶時代用大米當標準吧。全世界共通的標準，除了能源單位之外似乎別無選擇。這就是實體經濟的思考方式。

相較之下，「有權使用金錢的人是誰」，虛經濟如果從本質上追根究柢，就會失去意義。也就是說，只要資訊整合，確立了金錢的正確使用方法，那麼無論誰有金權都是差不多的。這兩種經濟實際上應該好好區分，現在卻被混為一談。我不知道經濟學家會怎麼看，但如果不區分實經濟與虛經濟的話，只知道錢有流動性，那麼能源會在人類被欺騙的過程中不斷消耗，而且地球環境也會遭受破壞。

隨便說一句，我們就算擔憂也束手無策，只能等到某一天人類大腦產生的欲望被外在因素給限制。不過，在那一天到來之前，很有可能情勢已經變得無法挽回了。環境破壞是最典型的例子。為了防止這種情況，我們難道不應該深耕實經濟嗎？將其與虛經濟區分開來。我的意思是，如果實經濟已經能正常運作，那麼金權的爭奪就隨便你們這些人吧。

實際上，如果資金不斷浪費，經濟就無法維持下去——這已經成為全世界的常識，存在於實經濟與虛經濟的常識。也就是說，小明與小華之間有資金流動，而這種資金流動的狀態很好。事實並非如此，如果人類在看不見實體的狀態下，任由欲望驅使金錢，那雖然很多人嘴上嚷嚷「經濟前景一片看好」，但在不知不覺中酒桶就空了。

隨時會破滅的一元論世界

或許讀者們已經發現，將經濟區分為「實」與「虛」的思考模式，其實很類似於我們先前討論過的「意識與無意識」、「大腦與身體」以及「都市與鄉下」等二元論。確實如此，我的觀點簡單來說可以概括為二元論。

日常生活中很少人意識到這些，新聞媒體也沒有以這些觀點討論事情，但我們絕對要知道，現代世界中有三分之二的人都是一元論者。伊斯蘭教、猶太教、基督教終歸是一元論的宗教。一元論的缺陷已經在這一百五十年間，深深植入了世界。因此，我希望二十一世紀不要成為一元論的世界。就像有男人也有女人，這樣就可以了。

基本教義派的基要主義是最典型的一元論。從經驗上來說，一元論的世界一定會破滅，這跟基本教義派的破滅是一樣的。

不過，基要主義短期而言有時更強大。以前美國甚至還通過禁酒令這種荒謬的法律，這種單方面的倒行逆施就是一元論的產物。然而，一元論經過時間的驗證就會崩潰。禁酒令當然也消失了。

讀者們還是早點意識到比較好，我也因此總是在討論大腦。

大致是這樣：「就算你覺得自己百分之百正確，但你應該沒有算入自己睡覺的時間吧。其實你可能有三分之一是錯的。正確率變成百分之六十七。你依舊認為自己百分之百正確嗎？如果加上人類犯錯的機率，就算認為自己全盤正確，也有百分之五十的機率會出錯。」

所謂「傻瓜的圍牆」，某種程度上就是一元論所引起的。對傻瓜來說，只有圍牆內側才是世界，他們看不見牆壁的另一邊——甚至根本不知道有另一邊存在。

本書多次強調「人是會改變的」，原因之一就是為了否定一元論。現在許多人追隨一元論，其根源都是出於「自己不會改變」這種毫無根據的信念。如果沒有這個前提，那一元論就不會成立了。為什麼？如果一個人知道自己可能會成為不同的人，那怎麼可能主張絕對的基要主義呢？在一元論的宗教裡，「君子豹變」的狀況不可能會出現，因為沒有人會追隨一個不斷變化的創教者。

總之，都市化與資訊化。在這樣的世界裡，中東地區正如各位所知也逐漸都市化，一神教從此出現。以事情的發展來看，這是必然的。

腳踏實地的強大

日本原本是八百萬神之國。《方丈記》所寫的「川流不息，既非原水」也不屬於一元論。過去的日本沒有純粹的一元論。

到了近代，一元論即便其毫無根據，也不與日本文化有任何關聯，卻在不知不覺間成為主流。

若用宗教來譬喻，一元論與二元論就像是一神教與多神教的差別。一神教是都市宗教，而多神教則是自然宗教。

都市宗教必然會走向一元化。這是因為都市人其實很脆弱，他們渴望可以依賴的東西。農民則因為擁有土地，所以非常堅韌。這種堅韌在成田鬥爭[16]時可見一斑。即便全國上下幾十年來都在強逼他們搬走，但他們就是頑抗到底。不僅如此，從前的統治者如果想要找農民麻煩，多半也會付出不小的代價。

江戶時代，幕府也將統治階級定為士農工商，規定只有武士能夠持有武器，才徹底保持有利地位，勉強與農民保持平衡。與之相對，都市人就是如此脆弱。

這種強大的原因在於，對人類來說「吃飽」才是前提，而糧食掌握在農

16 發生在一九六六年，是千葉縣的農民、居民、左派團體為反對政府興建成田機場，與日本政府之間發生的衝突與抗爭。

民手上。這個道理不難懂。在戰爭結束後的混亂時期，一套昂貴的和服經常只能換到一小撮的米。那是我們這一代人都曾有過的親身體驗。

這顯示出沒有底氣的人是何其脆弱。然而，現代幾乎所有人都成為都市人，因此變得格外脆弱。宗教於是乘虛而入，最典型的就是一元論宗教。

天主教與新教

舉例來說，我們先跳過細微差異只做簡單分類：天主教與基督新教[17]二者相比，新教顯然更接近基要主義，而且是都市類型。日耳曼民族最終在基督教的基礎上做為城市宗教所創造的就是新教。天主教則是中世紀的部落宗教，也就是與日耳曼的自然宗教相結合的宗教，本質上有多神教的一面。如果你走進義大利的天主教堂，你會看見裡面有某某聖人的裝飾，也有聖母瑪利亞的房間，只有教堂正殿才會是耶穌基督像。這在某種意義上是多神教。

伊斯蘭教與新教的一神教色彩非常強烈。因此就我所見，伊斯蘭教與美國之間的鬥爭不過是一神教之間的糾紛。

一神教的信徒們不會只是說一句「跟那些人話不投機，先不管他們」，而是互相指責「你是惡魔」。退一步來看，這些人根本是半斤八兩。

我近年來用這種論調發表文章，就會有莫名其妙的人批評：「你這不是在反美嗎？」實情當然不是如此，但一元論的人是聽不懂的。

從這方面的僵化來看，我感覺思考模式與二戰前越來越像的人似乎有增加趨勢。日本也有不少一神教的思維。例如二戰時期的日本名言「八紘一宇」就是典型案例，這句話將世界視為以天皇為首的一個家族。上次這樣思考而痛苦萬分的人，難道還要再繼續一元論嗎？

---

17 簡稱「新教」，是基督教西方教會中除了天主教會以外的宗派統稱，分裂自天主教會，與天主教、東正教並列基督教三大分支。

即便日本是天皇制，昭和初年的人大概也料想不到，天皇會在太平洋戰爭中到達如此極端的程度。當時甚至還有將天皇視為國家單位的天皇機關論。而戰爭開打之後，天皇就逐漸被神格化了。

想想當時日本的狀態就更容易理解了，日本有孕育基要主義的土壤。因為人人都想變得輕鬆，所以會想盡可能固定大腦中的係數，於是a就變成了一個固定值。那是因為一元論最輕鬆，思考停止的狀態才最令人舒服。

任重道遠的人生

德川家康曾說：「人生任重而道遠。」現在不知道還有多少人認為這句話有道理。我認為人生何止是一條漫漫長路，簡直就像是攀岩。

攀岩雖然辛苦，但只要多往上爬一步，視野就會變得開拓。不過往上一步是很困難的，只要鬆手就會墜入無底深淵。人生就是如此，也因此任誰都想要過得輕鬆。

投身於基要主義就像把雙手放開。雖然從旁人的角度來看是墜入深淵，但當事人只感覺通體舒暢。難道不是嗎？

人生就像是德川家康所言。只要往上爬一步，就能看見更遠的風景。但要攀爬向上並不容易，因為肩上還有沉甸甸的行囊。然而，這世上確實有一些不動身體就看不見的風景。

「墜入深淵」最好的例子，就是獻身於邪教的教徒。我教過的學生中就有人身陷其中而無法自拔，最嚴重的是奧姆真理教。

以我身為老師的經驗，這種學生只能想辦法與他私下交流來感化他。雖然我也不是很閒，但我身為老師不得不為之。我抱持能感化一點點也好的想法，在課堂上以各種形式穿插一些相關論述。

雖然我不知道他們聽進去多少，但胡亂猜測或期待回報只不過是徒勞。至少對我來說，繼續說這些話就是「人生的意義」之一。我一邊抱怨卻還一邊待在教育現場，就是為了這個目的。

知識勞動就是所謂的「任重」。我想告訴讀者，思考絕不是一件輕鬆的事。因此當我看見許多學生面對學問時卻想要讓腦袋輕鬆，就不禁望牆興嘆。這已經不是懂不懂的能力問題，而是動機問題。細思極恐。

向上攀登就可以有更寬闊的視野——這種動機已經消失。對世界的看法因為懂的東西多了而有改變，這種觀點也漸漸式微了。擁有情人跟名駒取而代之成為動機，或者，正如宣稱自己「學習」了邪教教義而一生輕鬆的那些人吧。

身而為人的「常識」

繼續延伸討論，我們就不得不重新思考，國家這個共同體在世界上到底有什麼意義。如果要否定一元論，我們勢必要提出另一種普世思維。如果國家是建立在某種普世思維之上，那麼我們就要思考這種思維的核心。

一神教的世界裡有一種普世思維：萬能的神只有一個。無論是伊斯蘭教、猶太教或基督教，都秉持著這種信仰。這種思維占了全世界的三分之二。如果問剩下的三分之一的人有哪種普世價值，那就是他們沒有那樣「偉大」的東西。

不過，我們不妨把問題想成「身而為人應該如何」，這樣或許就能找到一種普遍性。例如，一個人該不該殘殺與自己親近的人？身而為人就一定會有一種普遍性，也就是不可能這樣做。

日本如果未來想要站穩腳步，就只能靠這種思想。例如「不要太貪心」這種理所當然的事。有些話應該要能被討論：「比爾蓋茲先生，你有這麼多錢要做什麼？不如把錢給我。反正你在有生之年也花不完。」又或者這種話題也應該被討論：「你說你百分之百正確，但你睡覺時又是怎麼想的？」

身而為人應該如何？如同本書開頭提到的「常識」，我認為這就是人類最終的普遍性。我們不該隨便造神。如果用一元論把神造出來，在某些方面可能非常方便，可以斬釘截鐵地做出決定。

相較之下，「身而為人應該如何」這句話看似簡單，某種意義上卻難以理解。但我認為，我們最後也只能走這一條路。因為無論你信奉伊斯蘭教、猶太教或基督教，你終究都是人。「身而為人理應如此」難道不是一種普世價值嗎？

日韓共同舉辦了一次足球世界盃，當時日本的年輕人穿著英格蘭的球衣為他們加油，當韓國隊晉級時也同樣替韓國加油，這在許多國家是難以置信的事情。「四海皆兄弟」可能有點令人費解，但「人類都是一樣的」在日本是一個很基本的概念。沒有國界，沒有民族間的廝殺，也就不會有戰爭。這種想法可以概括形容成「天真」，但我不覺得是壞事。

至於眼前的現狀，以ＮＨＫ自詡「公平、客觀、中立」為代表，四處都在發展成一元論思維。這種風潮被視為正道，正在發展為世界的中心思想，令我相當不安。

當人們隨隨便便就認定「我知道」、「聽了就會懂」、「有絕對的真相」時，那麼很快就會落入一元論的陷阱。陷入一元論的人，就會困在非常堅固的圍牆裡。乍看之下，人生變得快活輕鬆，但是圍牆之外的事情、以及不同於自己立場的事情，都會永遠消失在視野。當然，人與人這時就無法溝通了。

一起來　思 030

傻瓜的圍牆

溝通障礙、世代隔閡、族群對立、大國鬥爭……
現象級腦科學家解答世上最棘手的難題

バカの壁

作　　者　養老孟司
譯　　者　Monica Chen
主　　編　林子揚
編輯協力　吳昕儒

總 編 輯　陳旭華 steve@bookrep.com.tw
社　　長　郭重興
發行人兼出版總監　曾大福
出版單位　一起來出版／遠足文化事業股份有限公司
發　　行　遠足文化事業股份有限公司 www.bookrep.com.tw
23141 新北市新店區民權路 108-2 號 9 樓
電話｜02-22181417　傳真｜02-86671851
法律顧問　華洋法律事務所　蘇文生律師

封面設計　陳文德
內頁排版　宸遠彩藝
印　　製　通南彩色印刷有限公司
初版一刷　2022 年 1 月
定　　價　360 元

ISBN　9786269539635（平裝）
9786269539604（EPUB）
9786269539642（PDF）

國家圖書館出版品預行編目 (CIP) 資料

傻瓜的圍牆 ：溝通障礙、世代隔閡、族群對立、大國鬥爭……現象級腦科學家解答世上最棘手的難題／養老孟司著 ; Monica 譯 . -- 初版 . -- 新北市 : 一起來出版 : 遠足文化事業股份有限公司發行 , 2022.01
面；　公分 . --（一起來思 ; 30）
譯自：バカの壁
ISBN 978-626-95396-3-5(平裝)

1. 言論集

078　　110018842